文部科学省後援

2025年版 B検
ビジネス能力検定 ジョブパス
2級
公式テキスト

一般財団法人 職業教育・キャリア教育財団 監修

日本能率協会マネジメントセンター

刊行にあたって

一般財団法人 職業教育・キャリア教育財団

理事長 中村 徹

　本財団は、前身の財団法人専修学校教育振興会として設立されて以来45年以上にわたり、専修学校教育、職業教育さらにはキャリア教育の振興に資する活動として、研究事業、研修事業、保険事業、認証事業を実施するとともに、学生等の学習成果の評価指標の一つとして検定事業を行ってきました。その中核事業が文部科学省後援「ビジネス能力検定ジョブパス（通称、B検ジョブパス）」です。

　B検ジョブパスは業種を問わず社会人が身に付けておくべきビジネス能力を段階的に学習することができ、これまで専門学校生をはじめとして社会人、大学生、短大生、高校生など幅広い層からの受験者を迎えてきました。学習内容はビジネス知識、ビジネスマナーにとどまらず、上司、部下、同僚、さまざまな職種間の仕事の進め方、取引先やお客さまとの対応、円滑なコミュニケーションの方法、問題発見・解決といった、常に仕事の場面を想定した実践的な能力を修得できるものとなっています。昨今のDX化、生成AI活用等による社会・経済環境の急激な変化のもとであっても、知識を学び、意識を変えて、行動できるようになる、それがB検ジョブパスです。

　また、試験方式も幅広い受検者層の利便性を考え、通常のペーパー方式に加えCBT（Computer Based Testing）方式でも実施しています。このCBT方式により大幅に受験機会が増え、学習プランが組み立てやすくなったと好評を得ています。

　『ビジネス能力検定ジョブパス公式テキスト』は、B検ジョブパス受験用テキストとしてだけでなく、仕事をしていくうえで困ったときや迷ったときに、ビジネスの原点に戻ることができるバイブルとして、日頃から手元に置いている方もたくさんいます。

　ぜひ、本公式テキストを活用して、より多くの方が充実したキャリア形成を歩み、加速するビジネス社会の変化に対応できる有為な人材として活躍されることを祈念いたします。

ビジネス能力検定ジョブパス
試験概要

2024年10月末現在の情報です。

┃ペーパー方式[*1]┃ 2級・3級

●実施級・試験日・出願期間

	実施級	試験日	出願期間
前期試験	2級・3級	7月第一日曜日（全国一斉）	4月1日～5月中旬
後期試験	2級・3級	12月第一日曜日（全国一斉）	9月1日～10月中旬

●試験時間

級	説明時間	試験時間
3級	10：20～10：30	10：30～11：30（60分間）
2級	12：50～13：00	13：00～14：30（90分間）

●合格発表

2級・3級	前期試験：8月下旬　後期試験：1月下旬

* 1　2022年度からペーパー方式は団体受験のみとなりました。個人受験をご希望の場合はCBT方式をご利用ください。

┃CBT方式┃ 1級・2級・3級

●実施級・試験日・出願期間

実施級	試験日		出願期間
1級	前期	9月初旬～中旬[*2]	団体：試験実施日の2週間前まで
	後期	2月初旬～中旬[*2]	
2級・3級	団体：試験日、試験開始時刻は随時自由に設定可。 個人：指定会場により試験日、試験開始時刻が異なります。 （詳細はホームページをご覧ください。）		個人：試験実施日の3週間前まで

* 2　団体受験：上記のうち試験センターが指定する期間内で、自由に設定できます。
　　　個人受験：上記のうち試験センターが指定する期間内で、指定会場が設定する試験日です。

CBT方式とは：CBT（Computer Based Testing）方式は、パソコン画面で受験できる試験方式です。（インターネットに接続できる環境が必要となります。）

●試験時間

級	説明時間	試験時間
1級	10分間	90分間
2級		
3級		60分間

●合格発表

1級	前期試験：10月下旬　後期試験：3月下旬
2級・3級	試験終了ボタンを押すと、その場で合否結果を表示

受験料 （税込み）

級	3級	2級	1級
金額	3,000円	4,200円	8,500円 *3

＊3 1級受験料優遇措置：2級合格者が一定期間内に受験する場合は、5,500円 （税込み） となります。
（ただし、1回限り）

◆ ペーパー方式2級合格者の優遇対象期間

2級合格者が1年以内に受験する場合。
例）2025年度前期2級合格者：2025年度前期、2025年度後期のいずれかの期間で1回。

◆ CBT方式2級合格者の優遇対象期間

2級試験日（＝合格登録日）	優遇対象となる1級試験回
1月1日〜7月31日	試験日の年の前期試験（9月） 試験日翌年の後期試験（2月）⟩ のいずれか1回
8月1日〜12月31日	試験日翌年の後期試験（2月） 試験日翌年の前期試験（9月）⟩ のいずれか1回

なお、優遇措置を使った1級出願手続きは、システムの都合上、2級試験日（合格登録日）の翌々日から可能です。（1級の出願期間は、B検ホームページにて確認ください。）

受験対象

1級・2級・3級	どなたでも受験できます。

出題形式

ペーパー方式	2級・3級	解答マークシート方式
CBT方式	1級	解答記述入力方式
	2級・3級	解答選択方式

合格基準

1級	60 / 100点 *4
2級	65 / 100点
3級	70 / 100点

各級とも100点満点

＊4 配点得点：体系的知識問題50点、実践応用問題50点のうち、体系的知識問題25点、実践応用問題20点以上の得点が必要で、体系的知識問題で基準点に満たない場合、実践応用問題は採点されません。

※最新の情報は、下記ホームページでご確認ください。

一般財団法人 職業教育・キャリア教育財団　検定試験センター
〒102-0073　東京都千代田区九段北4-2-25 私学会館別館
TEL：03-5275-6336　　FAX：03-5275-6969
（休日：土・日・祝日および年末・年始）
URL：https://bken.sgec.or.jp/

目次
Contents

刊行にあたって

ビジネス能力検定ジョブパス試験概要

社会人・職業人としてスタートするにあたって ………………… 10

第1編　ビジネスとコミュニケーションの基本

第1章　キャリアと仕事へのアプローチ ………………………… 16

❶ 私たちを取り巻くビジネス環境 ………………… 16

❷ 自分のビジネスキャリアは自分でつくる時代 … 18

❸ これからの時代のキャリアマネジメント ……… 20

第2章　会社活動の基本………………………………………… 22

❶ 会社とは何か ………………………………… 22

❷ 会社の経営 …………………………………… 24

❸ 会社の仕事の流れ …………………………… 26

❹ 仕事の原点はお客さま ……………………… 28

❺ 顧客ニーズに応じた会社活動 ……………… 30

❻ 会社とコンプライアンス …………………… 32

第3章　話し方と聞き方のポイント ……………………………… 34

❶ ビジネス会話の基本 ………………………… 34

❷ ビジネス会話の進め方 ……………………… 36

❸ 柔らかい印象を与える依頼・おわびと断りの言葉 … 38

❹ アクティブリスニングと質問技術 ……………… 40

第 4 章　接客と営業の進め方 …………………………………… **42**

① お客さまに喜ばれる接客 ………………………………… 42

② お客さまの立場に立った営業の進め方 ………… 44

③ お客さまを獲得するには ……………………………… 46

④ 顧客満足を高めるための情報収集 …………… 48

第 5 章　不満を信頼に変えるクレーム対応 ………………… **50**

① クレームの理由とお客さまの心理 …………… 50

② 不満やクレームを防ぐ方法 ……………………… 52

③ クレームの再発防止 …………………………………… 54

第 6 章　会議への出席とプレゼンテーション …………… **56**

① 会議の基本的な流れ …………………………………… 56

② 会議の司会と進め方 …………………………………… 58

③ 会議でのプレゼンテーションの基本 …………… 60

第 7 章　チームワークと人のネットワーク ……………… **62**

① チームワークの意義と重要性 ………………… 62

② リーダーシップとメンバーシップ ………… 64

③ 新人や後輩へのアドバイス ……………………… 66

④ 人のネットワーク ……………………………………… 68

確認問題 ………………………………………………………… **70**

目次
Contents

第2編　仕事の実践とビジネスツール

第1章　仕事の進め方 ……………………………………………… **74**

❶ 情報社会での仕事の特徴 ……………………… 74

❷ 情報社会での情報活用 ………………………… 76

❸ 情報セキュリティの管理 ……………………… 78

❹ マネジメントの基本はＰＤＣＡサイクル ……… 80

❺ 目標から計画へ ………………………………… 82

❻ 計画の重要性 …………………………………… 84

❼ スケジュール化の方法 ………………………… 86

第2章　ビジネス文書の基本 …………………………………… **88**

❶ 議事録作成の基本 ……………………………… 88

❷ 報告書作成の基本 ……………………………… 90

❸ 企画書作成の基本 ……………………………… 92

第3章　統計・データの読み方、まとめ方 ………………… **94**

❶ 統計・データを利用して説得力をつける ……… 94

❷ 統計・データの読み方 ………………………… 96

❸ 統計・データのまとめ方 ……………………… 98

❹ データ分析と将来の予測 ……………………… 100

第4章　情報収集とメディアの活用 ………………………… **102**

❶ インターネットの活用 ………………………… 102

❷ 新聞記事の活用 ………………………………… 104

❸ その他のメディアからの情報収集 …………… 106

第5章　会社数字の読み方 ……………………………… **108**

❶ 企業活動の源泉は売上 ……………………… 108

❷ 売上・コスト・利益 ……………………… 110

第6章　ビジネスと法律・税金知識 ……………………… **112**

❶ ビジネスの基本となる法律 ……………… 112

❷ ビジネスで知っておきたい法律 …………… 114

❸ 就業規則と労働法 ………………………… 116

❹ 勤務条件と休暇の仕組み ………………… 118

❺ 社会保障制度 ……………………………… 120

❻ 税金の基礎知識 …………………………… 122

❼ 現金取引と信用取引 ……………………… 124

第7章　産業と経済の基礎知識 …………………………… **126**

❶ 日本経済の基本構造の変化とバブル経済の影響 … 126

❷ 経済のグローバル化と社会構造の変革 ……… 128

確認問題 ……………………………………………… 130

特別講義　　社会で活躍するために必要な知識

問題解決の力 …………………………………………… 134

SWOT 分析 ……………………………………………… 140

会社数字の読み方　貸借対照表・損益計算書・給与明細の基礎知識 … 142

確認問題 ………………………………………………… 145

巻末資料

ビジネス用語の基本……………………………………… 150

索引……………………………………………………… 162

社会人・職業人として スタートするにあたって

～大切な心構えと修得しておくべき基礎能力～

　皆さんがこれからスタートする職業人生では、1日のなかでももっとも貴重な時間を仕事に費やすことになります。また、一生のなかでももっとも活力のある時期を費やすことになります。そのような貴重な時間・時期を通じて一生懸命仕事をすることによって、報酬などの物質的な働きがいだけでなく、自己の成長、自己実現、他者や社会への貢献などの精神的な働きがいを得ていくことが、充実した職業人生を送っていくうえで極めて大切なことです。

　これからの長い職業人生は、順風満帆という時期ばかりではなく、むしろ、つらいことや思うようにいかないことのほうが多いといっても過言ではないのです。そのような困難を避けることなく勇気をもって乗り越えていくことが、自己の成長だけではなく、充実した職業人生を送ることにつながっていくのです。

　しかし、「職場の人間関係がうまくいかない」「仕事が自分に適していない」「賃金や労働時間などの労働条件が希望に沿っていない」などといった理由から、多くの若者が短期間のうちに離職しています。

　「石の上にも3年」ということわざがあります。「3年間座り続ければ、冷たい石も温まる」ということから、「辛抱すれば必ず成功する」という意味で使われます。職業人生を充実したものにするには、この「石の上にも3年」の気持ちが大切です。つらいことがあってもあきらめることなく、自らに与えられた業務を誠実に一歩ずつ進める。この姿勢は大きな力になるはずです。

　本書では、これからの長い職業人生のスタートにあたって大切な心構えと基礎能力を修得して、さまざまな困難に遭遇しても逃げることなく勇気をもって立ち向っていくことによって、充実した職業人生を送ってほしいと願っています。

社会人・職業人としての心構え

　学生から社会人・職業人になることは、皆さんが想像している以上に大きな変化があります。社会人・職業人としての自覚をもち、就いた職業で一流のプロを目指して、着実に努力を積み重ねていくことが大事です。

■ 高い志と大きな夢をもつことは、充実した職業人生の柱となる

　皆さんの最大の強みは、高い志と大きな夢に向かって失敗を恐れずに勇気をもって挑戦できる若さがあるということです。志や夢をもち続けている人は、その達成に向けて、常に主体的・自主的に考え、行動できるのです。この姿勢が充実した職業人生を送るうえでの柱となります。いかなる困難に出会っても、くじけることなく志や夢をもち続けてください。夢や志は決して逃げませんし、行動するうえでの指針となります。

■ 時間を厳守する－Time is money－

　学生生活と違って、時間を厳守することは極めて大事なことです。仕事を進めるうえでもっとも大切なことは、お客さまや取引先に対する納期などを守ることです。また、社内でも、就業時間や休憩時間はもちろん、上司からの指示への返答などで、決められた時間を守ることは極めて大切なことです。時間を厳守することが皆さんの信用・信頼を得ることにつながるのです。

■ あいさつが良好な人間関係を築く

　日々のあいさつを、明るく元気に自ら進んで行うことは、職場や取引先で良好な人間関係を築くうえで大切なことです。これを習慣化するように努めてください。また、何事に対しても感謝の気持ちを忘れずに、「ありがとうございます」という言葉を積極的に相手に伝えるように心掛けましょう。失敗したときや人に迷惑をかけたときなどには、「申し訳ありませんでした」と素直に謝る言葉を即座に伝えられるようにしましょう。

■ 組織の一員としての自覚をもつ

　皆さんには、所属する組織の一員という自覚をもって行動することが求められます。皆さんの行動の一つひとつが組織の評判や信用・信頼につながっていることを忘れてはいけません。また、仕事を効率よく進めていくうえでもチームの一員としての自覚をもち、チームとして最大の成果を上げていくためには自分の役割をどのように果たせばよいかを常に考え、行動することが大切です。

■ 失敗から学ぶ

　人間は必ず失敗をします。失敗するから人間なのです。若いときには失敗を恐れずに何事にも果敢に挑戦してください。たとえ失敗しても、その失敗から多くを学ぶことができます。失敗には必ず原因があるものです。原因を明らかにし、同じ失敗を二度と繰り返さないようにしていく人が成長するのです。「凡人は自分の経験すら忘れ、賢人は他者の経験や歴史からも学ぶ」という言葉があります。自分の失敗だけでなく、他者の失敗や歴史からも大いに学ぶことができるのです。失敗から多くのことを学び取れるかどうかが、皆さんの成長につながっていくのです。

■ 自己啓発意欲をもち続ける

　変化の激しい社会経済環境のなかで、期待され必要とされる社会人・職業人であり続けるためには、常に新しい知識・技術を身につけていかなければなりません。過去に経験して身につけた知識・技術は、変化の激しい時代にあっては、むしろマイナスになってしまうことさえあります。

　生涯学習時代といわれる近ごろでは、学ぶ意欲のある人には多様な学習機会が用意されています。皆さんは、学校を卒業してからが学習の始まりであるといっても過言ではありません。

　しかし、社会人・職業人として、もっとも効果のある学びの場は、上司や先輩の指導を受けながら、皆さんが担当する仕事に真剣に取り組んでいく過程にあるのです。

　そして、皆さんの一生懸命学ぼうとする意欲や素直な態度こそが、上司や先輩に教わるうえで極めて大切な姿勢であることを忘れないでください。

■ 心身の健康を保つための自己管理

　責任をもって仕事を進めていくためには、心身ともに健康であることが不可欠です。そのために、バランスのとれた食事や適切な睡眠時間の確保、適度な運動に留意し、それらを生活習慣として確立していくことが大事です。また、趣味を持つことや、自分に適したさまざまな気分転換を図る方法を見つけることも、心の健康を保つうえで大切なことです。

 社会人・職業人としての基礎能力

　近年、社会人・職業人にとって、人間力や社会人基礎力が必要であるといわれています。つまり、皆さんが社会人・職業人として活躍していくためにはこのような能力が不可欠だということです。具体的には、つぎのような能力を身につけておきましょう。

■ 仕事の目的を明確にして取り組む

　仕事には必ず目的があります。まず、このことをしっかり理解しておきましょう。仕事に取りかかる前には必ず、目的を明確にしておくことが大切です。また、目的と手段を取り違え、ムダな時間と労力を費やすということがしばしば起こるので、注意が必要です。組織にとってもっとも大事なことは、仕事を通してお客さまや取引先などに貢献することです。このことを、常に大前提に置きながら、日々の仕事の目的を明確にして働くことによって、皆さんの生きがい・働きがいが得られるのです。

■ コミュニケーション能力を身につけ仕事や社会生活に活かす

　仕事を的確かつ効率よく進めていくために、コミュニケーション能力が求められます。コミュニケーションでもっとも大切なことは、相手の話を十分に聴く能力です。聴く能力とは、相手の話の内容を理解するということだけでなく、よく相手を観察して、話に含まれる背景や相手の感情についても、理解しながら聴くことです。さらに、積極的に相手の話を引き出し、話しやすい状況をつくるために、まずは、相手や相手の質問に強い関心をもちましょう。そのうえで、承諾や同意の気持ちを表すためにうなずいたり、適切な質問を交えながら話を進めていくことが大事です。自分の側に立った質問は、相手が話したいと思っていた内容を反らすこともありますので、注意が必要です。

　つぎに大事なことは、自分の考えを相手に伝える能力です。その能力を高めていくためには、日ごろから、自分の考えを整理し、相手に応じた的確な表現ができるよう、語彙を豊富にもつ努力が必要です。また、相手の立場を理解し、できるだけ簡潔で具体的な表現を心がけることが大事です。このようなコミュニケーション能力を高めていくことは、豊かな社会生活を送るうえでも大切なことであることを忘れないでください。

■積極的な行動力を身につける

　実社会においては、上司の指示を待つのではなく、自主的・主体的に目標達成に向けて、行動することが求められます。仕事を進めていくうえで、積極的に行動し試行錯誤して、はじめて最善の方法が見つかる場合がよくあるものです。そのため、熟慮したうえで行動することも大切ですが、考えながら行動することも、実社会においては求められます。たとえ失敗しても、多くのことを学び二度と同じ失敗をしないようにすることが大事です。また、一生懸命仕事に取り組んでいれば、上司をはじめ、周囲の人たちの援助や協力が得られるものです。また、組織においては、チームワークを念頭に置きながら、周囲の人たちとともに行動することが大切であることも忘れないでください。

■考え抜く力をつける

　実社会においては、受け身ではなく、常に主体性をもって、時代の変化を読みとるだけではなく、多面的な視点から考え抜く力が大切です。組織を取り巻く環境は変化し続けています。みなさんの担当する仕事も環境の変化に対応して日々改善をすることが求められています。そのためには、課題発見・課題解決につながる考える力が必要です。「学んで思わざれば即ち罔し。思うて学ばざれば即ち殆うし」と、孔子が説くように、ビジネスシーンでは、知識だけではなく考え抜く力もあわせて必要です。

　ここまで、皆さんが新しく社会人・職業人として出発するにあたって、必要な心構えと基礎能力について述べてきました。皆さんが1日も早く、職場に溶け込み、将来を期待される社会人・職業人となれるよう、『ビジネス能力検定ジョブパス2級公式テキスト』を大いに活用していただきたい思います。

第1編

ビジネスと
コミュニケーションの基本

第 1 編の内容

　ビジネスの基本を身につけるうえで、土台となるのがコミュニケーションです。コミュニケーション力があれば、仕事でかかわる人とよい人間関係を築くことができます。そのためには、相手の話をしっかり聴き、自分の考えをわかりやすく伝えることが大切です。社外ではお客さま満足を重視したサービス提供、取引会社との関係づくり、社内ではチームワークが大切になります。

1 私たちを取り巻く ビジネス環境

❶ ＩＴ時代のビジネス環境

　ＩＴ化による、情報通信のグローバル化、リアルタイム化、低コスト化が仕事のやり方そのものを変え、市場や業界の情報をどの会社でもすぐ容易に入手できるようになったため、競争のルールが大きく変わってきました。ＩＴを有効に活用できるかどうかが、業績の優劣の差に影響を与えています。また、データとデジタル技術の活用によるビジネスモデルや企業文化の変革であるDX（デジタルトランスフォーメーション）は、政府の後押しもあり、取り組む事業者が増えています。クラウドサービスの利用が一般的になり、データの蓄積も進んだ今日、業務の自動化と効率化が一層進むと言われています。

　こうした社会全体の変化とともに、会社自身も大きく変化しています。情報のやりとりが部門や会社の枠組みを超え、瞬時・即時、低コストになり容易に行われるようになったため、働く一人ひとりに求められる能力も責任の範囲もこれまで以上に大きくなりました。また、これまでの組織や職種という境界や枠組みを超えた活動が増え、働く一人ひとりにもこうした活動に参画し、成果を生み出すことが求められています。

❷ 働く環境の変化

　会社の採用や人事制度について見れば、従来のやり方が大きく変化して多様化しています。自分に合った選択肢を選ぶことが働く一人ひとりに求められています。

▶ビジネス環境の変化 [インターネットの活用例]

　回線の高速化、スマートフォンの普及に伴い、動画による商品紹介やイベントのオンライン配信などを導入する企業が増えています。

[会社や業界の境界や枠組みを超えた活動の例]

　社会の変化に対応して新しいサービスを導入する際に、自社で立ち上げるのではなく、他社のノウハウを使うと早く導入できます。

　飲食店×デリバリーサービス：飲食店が、増える需要に対応して出前を始める際に利用するのが出前館やUber Eatsなどのデリバリーサービスです。自社で出前の従業員や自転車・バイクなどを用意しなくても、出前を始められます。

職場について見れば、労働形態が多様化し、裁量労働制やフレックスタイム制を採用する業種もあるほか、営業職やシステム関連職でフリーアドレス制のオフィスや情報通信機器を活用した在宅勤務も見られるようになりました。1つの職場でいろいろな雇用形態、勤務条件の人たちがいっしょに働く環境になっているわけです。現在では、契約社員、派遣社員やパート労働者など非正規社員は、雇用者全体の約4割を占めるまでになっています。終身雇用や年功序列のみで賃金体系を決めずに、仕事の成果による人事評価・賃金を取り入れる会社が増えてきています。

一昔前のように、会社が個人の成長を道案内してくれることは期待できません。会社組織による安定型キャリア形成から個人一人ひとりの意思によるキャリア形成へ移行しているといえます。

❸ グローバル化したビジネス環境

グローバル社会のなかで、円滑にビジネスを進めていくためには、異なる国や地域の人々と良好なコミュニケーションをとることが求められます。その手段として、英語をはじめ語学力が必要ですが、それだけでは不十分です。国際的な感覚を身につけ、それぞれの人の背景にあるものの考え方、社会のあり方、人間関係とマナーを認識し、理解することも大切です。自分や自国の常識がいつでもどこでも通用するとは限りません。このことに留意して、心の通い合うコミュニケーションを心がけましょう。

さらに、諸外国の人々に仕事での連絡や提案などを伝えるときは、背景・状況、結論・主張、その理由、具体例などの構成を整理・組み立てる論理構築力、それを伝える・書くといったプレゼンテーション力が大切です。こうしたスキルは自国の会社の業務や日常生活の中でも必要とされます。普段から相手にどうしたらうまく伝えられるか、よく考えて実践し、自分のスキルをレベルアップさせておくことが必要です。

▶ **裁量労働制**
仕事の進め方や時間配分を従業員の裁量に任せ、勤務時間にかかわらず仕事の成果中心に評価する制度です。

▶ **フリーアドレス制**
オフィスに個人のデスクをもたず、ノートパソコンと共用のデスクやキャビネットを利用して、自由な空間で仕事をすることです。

▶ **在宅勤務**
勤務時間の全部または一部の時間を会社に出勤せず、自宅で仕事する勤務形態。電話・パソコンなどの情報端末を活用する場合が多く見られます。通勤時間の短縮、主婦・障がい者といった通常出勤困難者への就業機会の提供などのメリットがあります。

▶ **ダイバーシティ (diversity)**
多様性のことです。性別、人種、年齢、学歴、価値観などの多様性を受け入れ、広く人材を活用することで、有能な人材の発掘、斬新なアイデアの喚起、社会の多様なニーズへの対応といったねらいがあります。

2　自分のビジネスキャリアは自分でつくる時代

❶　社会が求める人材の変化

　スピードが要求されるビジネス社会では、すべてを会社が決め、その指示を待って行動していては、他社に遅れをとってしまうこともあります。したがって、自ら考え、短時間で判断し、自主的に行動して、期待された成果を生み出す自立型の人材が求められます。言い換えれば、一人ひとりの考え方（倫理観）、知識の豊富さや思考能力、行動力が、社会や会社・組織から求められているものになっているかが常に問われます。

　また社会の変化や技術の進歩は目覚ましいものがあります。こうした時代に対応するために、求められる能力を生涯継続して身につける必要があります。学歴や過去の成功に頼るのではなく、知識や技能を深めたり、新たな分野に挑戦することが必要です。

❷　キャリア形成とは何か

　「キャリア」とは、資格、職業や就業経験に限ったことではなく、地域などの社会的活動やさまざまな組織、グループの一員として、自分の能力を発揮し、人生を生きていく、「自分らしい生き方」を意味します。

　そして、キャリア形成とは、社会や会社・組織が求める人材を理解し、それに対して自分がなりたい将来の姿を描き、そのために何をするかということです。また、具体的に、自分がなりたい姿を実現するための知識、技術を身につけ、仕事や社会的活動など、実際の場面で実践していくことをいいます。

▶自主的に行動するときの注意点
　与えられた職務権限の範囲で行動しましょう。つまり与えられていない決裁権を行使したり、責任が取れない行動を勝手にとってはいけません。判断がつかないときは、行動する前にあらかじめ上司に相談しましょう。

▶キャリア形成とは、仕事だけではなく、友人・家族との関係、自分の趣味に至るまで広くとらえて、自分らしく生きていくためにつくり上げていくことです。自分だけでなく周囲の人々も幸せになるように心がけて形成しましょう。

❸ 会社は自分のキャリア形成の場

　働く個人にとって、会社は生活の糧を得る経済的な基盤であるとともに、自分がなりたい将来の姿を見つけ、能力を身につけて、成長してやるべきことを発見・選択し、自分のキャリアを築き上げていく場といえます。

　このような環境のなかで個人がキャリアを築き上げていくには、基本としてつぎに挙げる**職業観**をもつ必要があります。

【意識】
① 職業倫理を維持する。（**コンプライアンス**）
② 当事者意識をもって仕事をする。（**責任感**）
③ 仕事を通して成長を図る。（**自己実現**）
【スキル】
① 対人スキルを身につける。（**ヒューマンスキル**）
② 得意分野（業務）を開拓し確立する。（**テクニカルスキル**）
③ 複雑な状況のなかで的確にものごとをとらえる。（**コンセプチュアルスキル**）

　会社では立場によって求められるスキルが変化します。よりよいキャリア形成のために、図表１－１の３つのスキルを知っておきましょう。

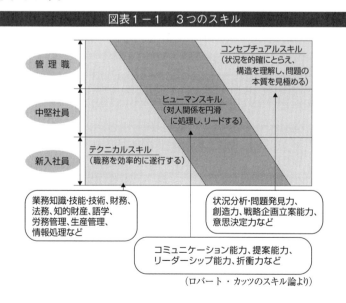

図表１－１　３つのスキル

（ロバート・カッツのスキル論より）

▶図表１－１のように、求められるスキルは、階層により比重が変化します。入社当初はテクニカルスキルが中心ですが、立場の変化（キャリアアップ）にともない徐々にコンセプチュアルスキルが求められます。また、ヒューマンスキルとしてのコミュニケーション能力はすべての階層で大切です。

3　これからの時代の
　　キャリアマネジメント

❶　キャリア形成のために必要な意識

（1）当事者意識をもって仕事をする

　仕事をするにあたっては、自分の責任を意識して、職務権限の範囲内で最大限に役割を果たすことが必要です。

　仕事がうまくいかず都合が悪くなると、自分の仕事ではないと責任逃れをする人も見られますが、職業人として失格です。

　当事者意識をもつとは、「その仕事の責任は自分にある」「その仕事は自分が最後までやりきる」という意識で業務を行うことを意味します。当事者意識をもって担当の仕事を行うことで、はじめて社会人として自分の存在も認められるのです。

（2）仕事を通して成長を図る

　変化の激しい時代、これが正しいというキャリアモデルはありません。社内外のネットワークを通じて、自分は将来どんな仕事をしたいのか、どうありたいのかを常に探求し、能動的な姿勢を持って、自身のキャリア形成と成長を図ることが必要です。

　また、仕事の場では自分の立場だけを主張しないで、ときには上司の立場に立った考え方や行動が必要です。こうした目を持つことで自身の仕事のレベルアップや、円滑なチームワークにつながります。

❷　コミュニケーション能力を身につける

　キャリアマネジメントを行う上では、専門性を活かすことが不可欠です。その専門性を活かすためには、コミュニケーション能力を

▶当事者意識をもつことに加えて、「職業倫理をもつ」という意識も必要です。『3級公式テキスト』19ページを参照してください。

▶リスキリング
新しい職業に就く、もしくは現在の職業で必要とされるスキルの変化に適応するために、必要なスキルを獲得すること、させることを指します。技術革新により従来人間が行っていた労働の一部がAIなどの別の手段に置き換わると同時に、DXを実現するためのデジタル知識や能力が、労働者と企業に求められています。

高め、「あなたにお願いしたい」と言われるように周囲の信頼を得て、組織の中で力を発揮できるようになる必要があります。

　そのために、お客さま、上司、先輩、同僚、後輩すべてが自分の向上に役に立つことを教えてくれる相手と考え、その人たちの日ごろの行動や言葉から謙虚に、そして貪欲に学ぶ姿勢が大切です。

　対人スキルにおいては、自分中心の関心事や希望を押し付けるだけではなく、むしろ相手の関心事や置かれた状況・要望を読み取り、それに対応できる折衝能力を身につけることが求められます。

❸ 得意分野を開拓する

　これからの時代のキャリアマネジメントにおいては、ある分野で多くの知識と専門能力を身につけて、その分野でプロとして業務を遂行できるスペシャリストになることが求められています。また同時に、周辺分野や会社の仕組みなど理解し、周囲の人と良好なコミュニケーションをとりながら、周囲の人を巻き込んで仕事の成果を出せるジェネラリストになることも求められています。しかし、はじめから両方を実現するのは難しいので、まずは自分が得意とする技術や専門的な知識を1つ身につけて、周りの人から1つの仕事を任される存在になってください。こうした小さな成果を着実に繰り返すうちに、しだいに周辺分野を理解し、新たに周囲の人との関係も築かれ、多くの人と協力して大きな成果を上げられるようになっていくでしょう。

▶折衝能力
利害関係が一致しない相手と問題を解決するために、かけひきをする能力。相手がおかれた状況を理解し、同時に自分の主張とのギャップを把握し、効果的に交渉をする能力です。

▶スペシャリスト
特定の分野に関する深い知識や専門的な技術をもち、その分野に特化して仕事をする人をいいます。

▶ジェネラリスト
広範囲の知識・経験をもち、広い業務分野を担当する人をいいます。会社では職位が上がるにつれてジェネラリストとしての活躍を求められるようになることが多いです。

```
【仕事で成長する過程】
はじめての仕事： 得意技術や専門知識で1つの業務を遂行する。
　　　　　　　　　1つの仕事で成果を上げて経験を積む。
　　　　　　＜もっと大きな期待＞
　　　　　　　・複雑な状況のなかで的確にものごとをとらえる。
　　　　　　　・技術や知識を一般化・汎用化する。
今後の仕事：他の分野へ応用する。
　　　　　　世の中が求めていることへ対応する。
　　　　　　広範囲で奥深い仕事のなかで大きな成果を上げる。
```

1 会社とは何か

❶ 会社の活動

　人は仕事を通じてさまざまな形で社会に貢献することで、その対価（給料など）を得て生活をしています。会社とは仕事を行う人たちが集まり、協力して仕事を進めるための組織を指します。

　会社の基本的な活動サイクルは、「ヒト、モノ、金、情報」という経営資源を使って商品やサービスを生み出し、それを社会に提供することで対価を受け取ります。

　このときに会社が受け取る対価を「売上」といい、会社の経営資源を使って、商品やサービスを生み出すためにかかるお金を「費用」といいます。

　会社が存続し続けるためには、この「売上」から「費用」を差し引いて、「利益」が出なければなりません。また、会社を成長させるためには、商品やサービスの価値を高めて「売上」を増やし、商品やサービスを生み出すときにかかる「費用」をできる限り圧縮して、「利益」を増やす努力をすることが会社の基本行動となります。

▶会社の利益は売上−費用で表すことができます。費用を細かく分類すると、費用には原価、販売管理費、営業外費用などが存在します。

図表2−1　会社の活動とその存在価値

会社		
ヒト：従業員、経営者など		
モノ：建物、設備など	経営資源	活用
金：資本、資金など		
情報：市場情報、技術情報など		

商品サービス → 提供 → 社会貢献

対価（売上）

会社の売上は、ヒト、モノ、金、情報などの経営資源の調達に再投資される。

❷ 会社の社会的責任と貢献

会社が存続し発展していくためには、利益を追求するだけではなく、社会に貢献し、社会的責任を果たすことにより、会社も個人も社会も繁栄するという関係を築く必要があります。

会社が果たしていく役割としては、つぎのようなことがあげられます。

> ① 企業活動を通じて社会に価値ある商品・サービスを提供し、人々の生活を豊かにする。
> ② 従業員を雇用し、仕事と成長の機会を提供する。
> ③ 利益を確保し、投資家（株主）に利益を還元する。
> ④ 納税によって、国や地方に税収をもたらす。
> ⑤ 地域社会と良好な関係を築き、共存共栄を果たす。
> ⑥ 組織として存続し、継続的に社会に貢献し続ける。

❸ 会社と法人

会社とは、人（社員）が協力しあって仕事を進めるための集団組織を指し、法律上では「法人」という疑似的な人格をもつ組織のひとつの形態になります。

その中でも株式会社は最も多い法人形態で、基本的には利益を追求し、会社として存続していくことを目的とする組織です。

株式会社は、従業員数や売上高の面でみると日本の会社総数の90％以上を占め、もっとも発達した共同組織形態といえます。

一個人の資本ではなしえないような大きな事業をするために、株式を発行することにより、その事業に賛同する人たちから資本を集めます。そして、株式を取得した株主は、会社が獲得した利益から、それぞれの資本の出資割合に応じて配当を受けるというのが株式制度であり、この株主が株式会社の所有者であるといえます。

▶法人は人の集合体に法人格を与えた社団法人と、財産の集合体に法人格を与えた財団法人が存在します。株式会社は社団法人の1形態です。

▶法人のうち営利を目的とする法人を営利法人、それ以外の価値を求める法人を非営利法人といいます。非営利法人には以下のような法人組織が存在します。
- 公益法人…慈善・学術など、公共の利益を図ることを目的とする法人
- NPO法人（特定非営利活動法人）…福祉や環境など、社会の課題を解決するために非営利の活動を行う法人
- 社会福祉法人…介護施設など公共性が高い事業を行う法人

▶その他の法人に組合、合同会社、合資会社などがあります。合同会社とは会社法により設立できるようになった会社制度です。合名会社などと異なり、出資者全員が有限責任を負い、株式会社と異なり出資者が自ら経営に参画します。

2　会社の経営

❶ 経営理念と経営戦略

　会社には、その企業の存在意義や存在目的を表す経営理念というものが存在します。

　経営理念は社内外に文章で伝えられ、経営者はその経営理念に沿って経営方針を示し、その経営方針に沿った目標を設定し、その目標を達成するために、経営戦略を立案して事業を推進します。

▶経営目標や経営戦略は、一般的に短期的（主に半年や１年）な目標、戦略と、中長期的（主に３年～５年）な目標、戦略の両面で設定します。

図表２−２　経営理念・経営方針・経営目標・経営戦略の意義・内容の例

（人事サービス提供会社の例）

経営理念	その企業の存在意義や存在目的を表す。 （例）「革新的な人事サービス提供により 　　　　人事面から企業の成長を支える」
経営方針	経営者の事業運営の方針を示す。 （例）「スタートアップに特化した人事制度設計・ 　　　　運用サービスをクラウドで提供する」
経営目標	方針に沿った事業目標を短期～長期にわたり設定する。 （例）「３年間で顧客数と売上を２倍にする」
経営戦略	経営目標を達成するための戦略を立案・実行する。 （例）「AIを組み込んだ新機能の開発と 　　　　マーケティングに経営資源を集中する」

❷ 会社を効率よく動かすための組織というシステム

　会社が経営理念に従い、自らも成長・発展していくためには、従業員が効率よく働くことのできるシステムが必要になります。まず、会社は経営理念に沿った経営方針を打ち出し、経営目標と経営戦略を定め、それを達成するための分担業務を決めます。

　つぎに、業務ごとに適切な人材を配置し、指示、報告・連絡の

▶組織の種類
　専門機能ごとに組織を分けた「機能別組織」と、事業や製品ごとに組織を構成する「事業部制組織」、事業ごとに有期で人材が集められる「プロジェクトチーム」などが存在します。

ルールを整備します。こうしてできあがった形態を、経営組織と呼びます。

経営組織は、株式会社では、会社を所有する株主が経営を監視し、社長に代表される取締役が経営という会社の重要な意思決定・運営を行います。その意思決定にもとづいた業務執行を各部門が遂行する組織体制を採ることが多いです。

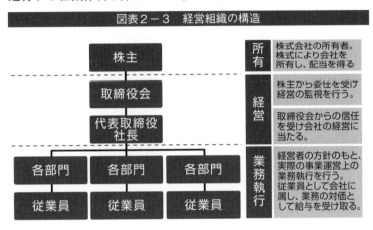

図表2−3 経営組織の構造

株主	所有	株式会社の所有者。株式により会社を所有し、配当を得る
取締役会	経営	株主から委任を受け経営の監視を行う。
代表取締役社長		取締役会からの信任を受け会社の経営に当たる。
各部門／従業員	業務執行	経営者の方針のもと、実際の事業運営上の業務執行を行う。従業員として会社に属し、業務の対価として給与を受け取る。

❸ ラインとスタッフ

会社の組織は、それぞれの部門が効率的に仕事を遂行できるよう専門的な機能に分業して組織を分割します。

その専門機能は大きく、ライン部門とスタッフ部門という2つに分けて考えることができます。

> ① **ライン部門**…会社の事業目的を達成するための直接的な活動を行う部門（生産部門や営業部門など）
> ② **スタッフ部門**…ライン部門が活動しやすいように補佐・支援する部門（総務、経理、人事などの部門）

このライン部門とスタッフ部門との双方が効率よく機能することによって、会社という複雑な組織を円滑に運営していくことができます。そして、多くの場合、それぞれの部門に何人かが配置され、チームで仕事をしていきます。

▶**株主**
株式会社に出資することにより株式を保有し、会社の重要な決定事項（代表取締役社長の選任など）に投票権をもつ会社の所有者を指します。

▶**株式会社の役職の例**
（代表取締役社長）
↓
（専務取締役）
↓
（常務取締役）
↓
（取締役）
↓
（部長）
↓
（課長）
↓
（係長）
↓
（主任）

▶**社外取締役**
経営の効率化と透明性の向上、またコーポレートガバナンスの構築など、経営に対する監視機能の強化のために迎え入れられた、利害関係のない第三者の取締役を指します。

第1編
2

3 会社の仕事の流れ

❶ 職位階層間の業務の流れ

　会社では、会社の目的・目標を達成するために、業務が「階層による役割分担」と「部門間の役割分担」で構成されます。そして、それぞれの役割に携わる者が相互に情報をやりとりし、仕事を実行していきます。

　まず、「経営管理者→中間管理者→一般社員」といった職位階層間での業務の流れ、つまり縦の流れを理解しましょう。

(1)　経営管理者

　会社全体の方向性を決めます。経営方針の決定、事業の選択、会社の目的や中長期経営計画の立案、部門の役割と方針の決定、ヒト、モノ、金、情報といった経営資源の配分などをします。それらを実現する責任と会社全体の業績に対する責任も、経営管理者にあります。

(2)　中間管理者

　ある部門の事業を推進するための実行グループを編成・維持するといった仕事を担います。経営管理者から配分された経営資源をその部門内で的確に割り振ったり、一般社員だけでは対応できない問題を解決するために、情報を収集・分析して現場に指示を出し、業務遂行の支援を行います。

(3)　一般社員

　日常的に繰り返される現場の仕事を実行する役割を担います。

▶組織の内部で情報が指示・命令の形で経営管理者から一般社員へ伝達されることをトップダウンといい、現場の声を集約して、情報などが一般社員から経営管理者に伝達されることをボトムアップといいます。

個々の取引を行う営業担当者としての仕事、商品の生産を直接実行する製造現場の仕事など、実際に行動する一般社員なしに会社の仕事は前に進みません。

❷ 部門間の業務の流れ

組織で行う仕事は、1つの部門だけで完結することは少なく、複数の部門につぎからつぎへと流れていきます。そして、その各工程で、それぞれの部門が役割に応じた独自の価値を加えていくことが必要です。

部門間の業務の流れは、横の流れといいます。

製品の製造販売を行っている会社でいえば、市場やお客さまの情報をつかみ（マーケティング・営業部門）、製品をイメージ化し（製品企画部門）、技術的に製造が可能かどうかを検討して開発し（研究開発部門）、製品をつくり上げ（生産部門）、お客さまに販売しお客さまの反応を探る（営業・広報部門）といったサイクルで価値を増やしていきます。

また、スタッフ部門は、ライン部門全体の流れを把握して、ライン部門が価値を生産しやすいように助言・支援をする役割を担っています。

▶一般的にマーケティングの活動は、大きく、ターゲットとなる市場に合わせて自社の商品・サービスの特性を設計するという段階と、製品の機能や広報の手段を細かに定める4P（製品、価格、流通、プロモーション）を検討するという段階からなります。

図表2-4　会社の仕事の流れのイメージ

①顧客ニーズの把握　②商品・サービス化　③販売促進　④販売

マーケティングの例　ライン部門の仕事

会社の方針策定、人材の採用と教育育成、資金の調達と決済、情報システムの開発・運用など　スタッフ部門の仕事

4　仕事の原点はお客さま

❶　仕事をするということ

　右肩上がりの経済成長が難しくなった現在、環境問題や消費者意識の高まりなどで、お客さまの目は厳しくなりました。ニーズはこれまで以上に細分化・個別化しています。お客さまのニーズを把握し、期待される以上のサービスを提供することこそ、会社の成長の原点といえるでしょう。

　しかし、お客さまが、どの会社を選ぶか、どの商品・サービスを選定し購入するか、また次回も利用してくれるかどうかは、すべてお客さま自身が決めることです。

　だからこそ、会社で働く人は、ライン部門、スタッフ部門を問わず、お客さまの期待に応えるにはどうすればよいか、どうすればお客さまに選んでもらえるかということを考えて、仕事を行う必要があります。

▶サービスとお客さまの関係

サービスとは、お客さまが満足するように会社として行動することであり、満足は提供されたサービスの品質の結果として、お客さまがそのよしあしを判断します。

❷　お客さまの声（要望・意見）を聴く

　会社が時代の変化に対応していくためには、自社が何を売りたいかではなく、お客さまが何を望み、お客さまが求める価値のあることは何かを把握していくことが大切です。お客さまの声を聴き、声にならない言葉まで把握し、求めるモノを提供する姿勢が顧客満足となり、その結果が売上につながり、収益を生み出します。

　近年、顧客満足度を高めるため、お客さまとの関係を構築することに力を置く経営手法がみられ、IT などを活用しお客さまの情報を分析し、長期的な関係を築くことに主眼が置かれています。

▶声にならない言葉を把握する

たとえば、小売店では気温が下がった日にお客さまが温かい食品を求めることを察し、商品の陳列を変えることでお客さまが温かい食品を選びやすいようにしています。

❸ お客さまに満足していただくためには

　お客さまが購入するものは、商品・サービスそのものだけではありません。お客さまが購入したいのは、商品やサービスがもたらす効果であり、それによって得られる満足感・価値といえます。このため、自分が販売する商品・サービスの機能・特性などを「熟知」して、どのような効果や満足感・価値をもたらすのか、十分に説明できることが大切です。

　また、商品やサービスを使っていただいたお客さまの今後の行動は、商品やサービスに対する顧客満足度によって変わります。

　お客さまの満足（CS）を高めるためには、常に商品やサービスを向上させる意識をもち、お客さまが求める以上の商品やサービスを提供していかなければなりません。お客さまの満足度は、お客さまの「事前期待」に対する「実績評価」で決まるといえます。

　つまり、実績評価のよしあしでお客さまの今後の行動が決まるといえます。不満をもったお客さまは、黙って去っていくことが多いものです。お客さまの満足を最大限にするためには、要求を満たし期待に応える行動をすることが大切です。

▶ CRM (Customer Relationship Management)
　顧客情報や行動履歴を一元管理し、顧客との良好な関係を構築・維持する手法、またはSales Cloud、Sansanなどに代表されるITツールのことです。顧客満足度を高めて、LTV（ライフタイムバリュー）を向上させるために活用します。

▶ CS (Customer Satisfaction)
　顧客満足という意味で、お客さまの声に耳を傾け、積極的にお客さまの意見を取り入れ、要求に応える企業の活動を指します。

図表２－５　事前期待と実績評価の関係

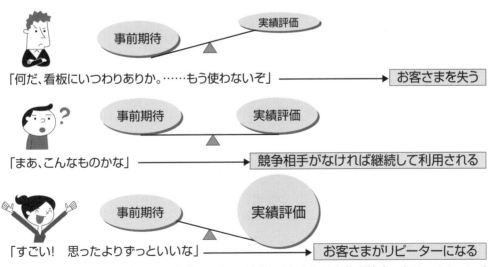

実績評価　事前期待
「何だ、看板にいつわりありか。……もう使わないぞ」　→　お客さまを失う

事前期待　実績評価
「まあ、こんなものかな」　→　競争相手がなければ継続して利用される

事前期待　実績評価
「すごい！　思ったよりずっといいな」　→　お客さまがリピーターになる

（出典:畠山芳雄著『サービスの品質とは何か』日本能率協会マネジメントセンター）

5　顧客ニーズに応じた会社活動

❶ 仕事の基本は8つの意識

　仕事を遂行するうえで、「顧客意識」を基本とした8つの意識が大切になります。仕事に挑む姿勢として常に心にとめておきましょう。

図表2-6　8つの意識	
①顧客意識	会社(自分)の都合よりお客さまの事情やニーズを優先する。
②品質意識	商品・サービスの品質を、お客さまから要求されているレベルと同等、またはそれ以上のレベルに保つ。
③納期意識	仕事の納期をきちんと守る。納期に遅れないことが信頼の源となる。
④コスト意識	最小のコストで最大の成果をねらう。
⑤協調意識	組織の一員として全体の利益のために協力し、組織としてのパワーを結集する。
⑥目標意識	ゴールを設定して仕事に取り組む。
⑦時間意識	迅速な仕事と、合理的なタイムマネジメントを大切にする。
⑧改善意識	常に問題意識をもち、ムダ・ムラ・ムリを取り除こうと考える。

❷ 商品・サービスを提供するということ

　顧客意識を中心として商品・サービスを提供していく際に重要となるのは、品質意識、納期意識、コスト意識です。

　商品・サービスの品質を、お客さまの要求しているレベル以上に保つように、品質向上を目指します。

　商品の機能、デザインなど商品の品質向上を追求していくと仕事を期日に間に合わせることが難しくなりますが、決められた期

▶すべての基本はお客さま第一(顧客意識)
仕事をするにあたって、もっとも大切なのは、まず何よりも「お客さまのことを考える」という姿勢です。

▶製品をつくる、商品を売る、サービスを提供する。こうした活動は、すべて買う側、受けとる側のお客さまがいて成り立つことです。お客さまが欲しくない商品は売れず、お客さまが満足できないサービスは求められません。このように考えると、会社や店の活動にとって、お客さま第一という意識がもっとも重要だということがわかります。

日までに仕上げるという納期意識は、仕事を進めるうえでの前提であり、お客さまの信頼の源となります。

また、会社が利益を上げるためには良い商品をいかに安く作るかというコスト意識も重要になります。

このように、品質、コスト、納期といった制約条件のなかで、どの条件をどう向上させるかバランスを取りながら判断して仕事を遂行していきます。

そして、それらの仕事を行う際には、同僚や取引先の人たちとの協調意識をもつことや、仕事のマネジメントを考えるうえで重要な目標意識、時間意識、改善意識も大切な要素となります。

❸ 継続的な仕事の改善

日本で生まれた考え方で、世界でも有名な言葉に「カイゼン」という考え方があります。

お客さまの要求レベルを超えるために、商品やサービスの品質レベルや仕事の進め方のレベルを常に向上させ続けることが求められます。

このレベルを向上させるための活動が「カイゼン」であり、仕事について、その時点での問題や課題、工夫の余地を見つけて、解決する活動を指します。

仕事ではいくつもの問題や課題が発生して壁にぶつかることがありますが、見方を変えると、その問題や課題を解決することで、商品・サービスの品質レベルや、仕事の進め方のレベルが向上するのです。したがって、問題や課題にぶつかったときは、レベル向上の機会ととらえて、「どうやって改善すれば仕事のレベルを向上できるか」と前向きに考えることが、仕事をするうえで大切な心構えになります。

そのような心構えで仕事を進めていると、お客さまからのクレームや上司からの指導など、さまざまな仕事を取り巻く環境に多くの改善の機会が存在していることに気がつくことができます。

第1編
2

▶ QCD（品質、コスト、納期）
商品やサービスの価値を評価する際に、この3つの観点で測定されることが一般的です。より高い品質、より低いコスト、より早い納期を満たして、商品・サービスをお客さまに提供することが、理想として求められます。この3つが、高いレベルで、バランスを取り合うことが重要になります。

▶ QC サークル活動
QC（Quality Control、品質管理）サークルと呼ばれる小さなグループによって、研究や改善活動の提案などが行われ、会社側へ商品やサービス、それらを生み出すプロセスの改善提案を行う継続的活動を指します。なかでも、QCサークル活動を取り入れたトヨタの改善活動は、世界でも非常に有名です。

6 会社とコンプライアンス

❶ コンプライアンスの重要性

　近年、お客さまが会社や商品・サービスを選択する際に、単に安くて良い商品・サービスを求めるだけでなく、安心・安全な商品・サービスの提供を行っているか、その会社が社会的責任を果たしているか、という価値観で会社や商品・サービスを選択するという傾向が高まってきています。

　社会的責任を果たすうえでは、会社は我々国民一人ひとりと同じように、国が制定した法律や地方公共団体が制定した条例、社会規範などを守ることが求められます。これらを逸脱して不祥事が発生してしまうと、会社の社会的信用は失われ、お客さまが会社から離れてしまい、ひどい場合には企業イメージの低下などによって、倒産に追い込まれることもあります。そうならないよう、社員一人ひとりは、会社から一歩外に出ると、周囲から会社の代表として見られているという意識で行動することが大切です。自分が新人であるかどうかは、関係ありません。会社の名前をはずかしめない、責任ある行動が求められます。そうした行動も企業の利益につながるのです。

❷ コンプライアンスへの取り組み

　過去の不祥事の原因などを探ると、上司からの誤った命令や目先の利益、過剰なコスト意識などが要因となり不祥事に繋がることがあります。また、職場環境に対する不満に起因する場合もありますし、無意識のうちに相手を傷つけ、ハラスメントと呼ばれ

▶コンプライアンスとは、法令や規則、ルールなどを、会社と、社員一人ひとりが順守することを指します。

▶会社が過度な利益追求を優先するあまり、違法行為や反社会的行為などのような不正・不祥事が近年発覚し、コンプライアンスが重視されています。

▶粉飾決算や個人情報漏えい、情報隠蔽などにより企業が長年培ってきた信用を一瞬で失ってしまいます。会社の短期的な損得よりも物事を誠実に「善悪」で判断できる倫理観が求められます。

▶投資家保護のため、企業が事業内容やコンプライアンスへの取り組みなどを情報公開することをディスクロージャーといいます。迅速・公平・正確な情報公開は企業の社会的責任のひとつとなっています。

る倫理不正を犯してしまうこともあります。

　社会で働く職業人にとって、コンプライアンスを徹底すること
は社会の一員たる前提条件です。常に社会で求められるルール、
会社で求められるルールを意識して業務を遂行しましょう。

（1）守秘義務を守る

　お客さまや他社と取引を行う際、さまざまな個人情報や他社の
内部情報に接することが多くなります。このような情報を外部に
漏らすことは禁物です。企業秘密や個人情報は厳重に管理し、漏
えいしないように徹底します。

　また、お客さまの情報のみならず、自社の内部情報についても
節度をもって扱い、不用意に会社の重要な情報や、社員の個人情
報が外部に漏えいしないよう徹底しましょう。

（2）不正を行わない強さをもつ

　少しだけなら、1度だけなら、という甘い考えで不正を行うこ
とは、会社にも個人にも取り返しのつかない事態を招きます。

　そもそも、不正は量や回数ではなく、有無が問題になります。
普段から高い倫理観をもって自分を律し、違法行為を行わず、規
則、ルールを守ることは社会人として当然の責務です。

（3）ハラスメントの排除

　上司による部下への嫌がらせ（パワーハラスメント）や、異性
への性的嫌がらせ（セクシュアルハラスメント）は、意識せずに
犯してしまうことが多い倫理不正です。

　自分では業務の範囲、日常のコミュニケーションの範囲と考え
た不用意な言動や行動が、相手にとってはパワーハラスメントや
セクシュアルハラスメントと受け取られることが少なくはありま
せん。

　節度をもった言動、行動をし、相手の人格を尊重して接し、ハ
ラスメントを排除することが求められます。

第1編

2

▶お客さまに関する情報や社内の機密情報は、絶対に口外してはいけません。とくに通勤途中や社外での食事時、路上での電話、エレベーターの中など外部と接する場所では発言に気をつけましょう。

▶守秘義務の遵守は会社を退職した後も続きます。

▶ハラスメント（嫌がらせ）は、相手の意に反する不適切な言動や行動によって引き起こされます。自分ではなく、あくまで相手がどのように受け止めたかが問題となります。ハラスメントには、つぎのようなものが存在します。
・パワーハラスメント
　…職権を武器にした本来業務を逸脱した嫌がらせ
・セクシュアルハラスメント
　…相手を不愉快にさせる性的な嫌がらせ
・モラルハラスメント
　…道徳上許されない、相手に迷惑をかける行為
・マタニティハラスメント
　…妊娠や出産を理由として、上司や会社が不当な扱いを行うこと

1 ビジネス会話の基本

❶ ビジネス会話の特徴と目的

　ビジネス会話は、相手の話をよく聴き、双方向のコミュニケーションによりお互いの意思が通じ合うことが求められます。そのためには、場に応じたマナーで接し、円滑に意思疎通を図るための方法を身につけておく必要があります。

　ビジネス会話の目的は、仕事をスムーズに進めることにあります。ビジネス会話では、話のうまさより、話した結果が仕事を進めるうえでの効果につながったかどうかが大切です。商談の時間は限られたものなので、話の要点を事前にまとめておく、必要な資料を準備するなど、効率的に話せるための心がけが必要です。

❷ ビジネス会話の心構え

（1）相手を見かけで判断しない

　服装や持ち物などで来客を判断し、態度や言葉づかいを変えることは慎まなければなりません。応対時の印象は、会社全体の印象につながりますので、丁寧で誠実な応対が求められます。

（2）状況に合わせた言葉づかいで話す

　社内の人と話す場合と、得意先や仕入先など社外の人を交えて話す場合とでは、言葉を使い分けます。社外の人の前で上司の話をするときは、敬称はつけず名前のみで呼び、上司の行動などはへりくだった言葉（謙譲語）で話します。また、はやり言葉を使ったり、専門用語や略語を多用したりしないようにします。会社を代表する

のですから、言葉の誤用には十分気をつける必要があります。

（3）結論→理由→裏付け→結論の順番で

　ビジネス会話は、結論→理由→裏付け→結論の順番を意識して話します。結論から始め、次に結論に至る理由、その理由を裏づける例や統計データの内容を述べたのち、最後にもう一度結論を復唱し確認します。

（4）会話のマナーを守る

　注意しなければならないマナーには、つぎの点が挙げられます。

> ①　話題を独占したり、一方的に話したりしない。
> ②　相手の話の腰を折ったり、言葉の揚げ足を取ったりしない。
> ③　大切な内容はメモや復唱で確認する。

❸ ビジネス会話の終わり方

（1）合意・決定事項・期日を再確認する

　会話を終えるときには、お互いの合意内容（了解事項、検討事項、禁止事項など）・期日をはっきりと口頭で再確認し、必要であれば書類にして間違いのないようにします。

（2）次回の約束（アポイントメント）をとる

　商談を継続するときには、次回の予定を忘れずに約束します。つぎの約束を交わすことで、継続の意思の確認ができます。

（3）感謝の気持ちを伝える

　商談を終えるときには、貴重な時間をとってもらったことへの感謝とあいさつを忘れずにします。最後に好印象を残せるかどうかが、今後の信頼関係を築くうえで大切です。

例「いつも弊社の商品をお使いいただき、誠にありがとうございます。今後とも、よろしくお願いいたします」

▶ビジネス会話は終わりが重要
　ビジネス会話では、話し合われた内容や結論を明確にしておくことが原則です。ビジネス会話の成果は、合意内容を再確認するという、終わり方で決まる部分があるといえます。

第1編

3

2 ビジネス会話の進め方

❶ 用件に入る前に注意しておくこと

　相手に合わせた会話をするためには、日ごろから新聞・テレビ・書籍などを通じて、さまざまな話題にふれ、自分の考えをもつように努力する必要があります。

　良好に会話を進めるためには、相手の言葉だけではなく、表情や態度をよく観察し、相手の反応を見逃さないことが大切です。

（1）心を込めたあいさつ

　場に適したあいさつは、雰囲気づくりの第一歩です。柔らかい表情でのあいさつは、好感をもたれ緊張をほぐすことができます。尊敬、感謝、いたわり、ねぎらいの気持ちを表現する言葉を加え、心を込めたあいさつをします。

（2）雰囲気づくりの導入話法

　すぐに本題に入らずに、まずひと言ふた言さしさわりのない話をして、場の雰囲気をほぐすようにします（導入話法）。

　気候、健康、最近の世間の話題や仕事など、できるだけ相手が関心や興味を示しそうな話題を選びます。

（3）紹介・名刺交換の順序

　初対面の者が同行するときには、先に相手に同行者を紹介し、あいさつをしてから名刺交換をします。

　紹介・名刺交換のマナーにより、信頼感を高め、その後の会話をよい方向へ導きます。

▶心を込めたあいさつの例
「いつもお世話になっております」
「お忙しいところ、ありがとうございます」

▶雰囲気づくりの例
「だいぶ暖かくなってきましたね」

▶政治や宗教など思想・信条にふれる話は避けます。

▶名刺交換については『3級公式テキスト』70 ～ 71 ページを参照してください。

❷ 相手に合わせて会話を進める

　自分の話を理解しているかどうか、相手の反応を見ながら話を進めます。話の途中で、ときどき相手の考えや質問の有無などを問いかけて、相手の理解度を確認します。

　また、相手に応じて、つぎの点に注意します。相手のタイプにより、注意点が異なります。それぞれ、ポイントをおさえておきましょう。

〈相手に応じた会話の注意点〉

（1）年長者や上位職の人との会話
　話すよりも、問いかけをして聞き役にまわる。また、特に敬語や丁寧な言い回しに気をつける。

（2）年少者や若い人との会話
　親しみやすい口調で話す。ただし、本題は明確にする。また、押しつけにならないように心がける。

（3）多弁な人との会話
　相手にひととおり話をしてもらい、タイミングをはかって、話題を本論に引き戻すように工夫する。

（4）口数の少ない人との会話
　相手が関心をもっていそうな話題を提供して、進んで話をしてもらえるように工夫する。

（5）初対面の人との会話
　よい印象を与えるように心がける。相手の興味や関心がどこにあるかに注意しながら会話を進める。

　また、年長者や職位が上の人と話すとき、丁寧に話そうとして、過剰な敬語となり、不適切な表現を使ってしまうことがあるので注意しましょう。

▶雑談もビジネス会話
相手の潜在ニーズを探るには雑談も有効です。共感する力を使って雑談をすることで、コミュニケーションを深めて人間関係を作り、信頼感から本音を引き出すことができます。

第1編
3

▶過剰な敬語の例
× 「おっしゃられた」
○ 「おっしゃった」

× 「お会いになられた」
○ 「お会いになった」

3 柔らかい印象を与える 依頼・おわびと断りの言葉

❶ 依頼・おわびと断りの際には 慎重かつ誠意ある態度で

　ビジネスでは、相手に依頼（要請）をしたり、逆に、受けた依頼を断らなければならないことがあります。そのようなときは、慎重に言葉を選びましょう。不用意な発言や強い口調を慎み、相手の気持ちに配慮した謙虚な態度で誠意を伝えることが大切です。

　依頼をするときは、命令形を使わずに、依頼形を用いると効果的です。

例：「後日お送りいただけませんでしょうか」

▶ビジネス会話は、相手とのよい関係が維持できてこそスムーズに進められます。常に受け手の気持ちに気を配り、信頼関係を壊さないように言葉を選びましょう。

❷ 依頼・おわびの言葉

　依頼・おわびをするときは、相手に迷惑や面倒をかけるという気持ちをもつことが大切です。

（1）日常よく使われる言葉の例

---

① 依頼をする場合

　「おそれ入りますが、〜をお願いできませんでしょうか」

② 相手に手間や時間をかけさせてしまった場合

　「ご面倒をおかけして、申し訳ございません」

③ 相手を待たせてしまった場合

　「お待たせして、申し訳ございません」

④ 連絡が遅れた場合

　「ご連絡が遅くなりまして、申し訳ございません」

（2）さらに丁寧な言葉の例

つぎのような場合はさらに丁寧な言葉づかいをします。

---

① 依頼の程度が重いとき

「大変お手数をおかけして、まことに恐縮ですが、〜をお願いできませんでしょうか」

② おしかりを受けたとき（相手の地位が高い場合など）

「おしかりは真摯_{しんし}に受け止め改善に努めますので、どうぞお許しください」

---

❸ 断りの言葉

断りの場合には、柔らかい印象を与える表現を心がけます。

（1）「クッション言葉」を使った断り方の例

クッション言葉は、印象を柔らかくし、丁重な印象を与えます。

▶よく使われるクッション言葉の例
「おそれ入りますが」
「お手数をおかけしますが」
「失礼ですが」
「申し訳ございませんが」
「お差し支えなければ」

---

① 『クッション言葉 ＋ 理由 ＋ 依頼』

言葉と依頼内容の間に断りの理由をはさむと、強い断りの印象を与えない。また、依頼形は謙虚さを表す。

<u>ご提案はありがたいのですが、</u> ＋ <u>今期は予算がないので</u> ＋
　（クッション言葉）　　　　　　　　（理由）
<u>つぎの機会にお願いできますでしょうか」</u>
　　　　（依頼）

② 『クッション言葉 ＋ 理由 ＋ 代案』

断りで終わらず提案で終わると、前向きな印象になる。

<u>「申し訳ございません。</u> ＋ <u>○○は切らしておりますが、</u> ＋
　（クッション言葉）　　　　　　　（理由）
<u>△△ならございます。</u>よりご満足いただけると思いますが、
　（提案：代案）
いかがでしょうか」

（2）依頼形を活用した断り方の例

「クッション言葉＋依頼形」にすると柔らかい印象を与えます。

▶依頼形を活用した断り方の例
「申し訳ございませんが、お車でのお越しはご遠慮いただけませんでしょうか」

4 アクティブリスニングと質問技術

❶ アクティブリスニングとは

　アクティブリスニングとは、相手が何を伝えようとしているか、声にならない言葉を察する聴き方です。人は、「話を聴いてくれる人」に好感をもち、心を開くものです。また、お客さまの潜在的なニーズや不平・不満をくみとる目的もあります。

　相手の話を聴くときは、先入観をなくし、謙虚な気持ちで相手の言葉に耳を傾ける姿勢が大切です。

> ▶相手に気持ちよく話してもらえるように、聴き手の熱意を適切な手段で伝えることが、信頼感を得ることにもつながります。

> ●レッスン：「聞く」と「聴く」の違いを実感しよう●
> 〈話の聞き方①〉
> ・ 2名一組になり、聞き役、話し役を決める。
> ・ 聞き役は「うなずかない、あいづちを打たない、表情を見ない」
> ・ 話し役はテーマを決めて1分間話す。
> ・ 話し役は、話してみてどうだったかコメントする。
> ▶話を聞くときのうなずき、あいづち、表情を読むことの重要性を実感してもらうレッスン
> 〈話の聞き方②〉
> ・ 2名一組になり、聞き役、話し役を決める。
> ・ 聞き役は「話を聞きながら○○の漢字を10個書く」（うなずき、あいづち、表情を読むことはしてもよい）。たとえば人偏（にんべん）、木偏（きへん）など。
> ・ 話し役は、話してみてどうだったかコメントする。
> ・ 聞き役は、漢字が10個書けたか、話の内容は理解できたかコメントする。
> ▶何かをしながら人の話を聴くことは、そのことに集中できないばかりか、話の内容も聴きとれない失礼な聴き方であることを実感してもらうレッスン

> ▶「聞く」と「聴く」
> ・聞く…相手の声が自動的に聞こえてくる状態
> ・聴く…相手の言うことを目や心を使って、理解しようとして聞くこと

> ▶アクティブリスニングの手法
> ・うなずく
> ・あいづちを打つ
> ・相手と視線を合わせる
> ・質問をする

　アクティブリスニングの基本となる聴き方のステップは、つぎのページのとおりです。

---

① 素直に聴く（共感）。
② 話に集中する。
③ 最後まで話を聴く。
④ 話の内容を要約する。
⑤ 適切な質問をする。

---

❷ 質問技術を活用する

　相手の話を聴く過程で、効果的に質問をすることによって、さらに多くの情報や考えを聴くことができ、より深く理解することができます。したがって、質問の技術を磨くことは、聴く技術の向上につながります。

図表3－1　質問技術の例

質　問	内　容
二者択一質問	肯定か否定かの答えを求めるときに使う。答えやすい質問のため、話しやすい雰囲気になって効果的。 例 「……が好きですか、嫌いですか？」
追跡質問	二者択一質問に続けて、その理由を尋ねるときに使う。 例 「それで、どうなりましたか？」 　　「その一番の理由は何ですか？」
5W2H質問	詳しい状況を知りたいときに使う。尋問調にならないように、相手の答えをゆっくりと待つ。 例 「それは何時ごろでしたか？」 　　「どのようにしたのですか？」 　　「それはどなたですか？」
多義質問	相手から重要な話を引き出すために使う。意図的にあいまいな尋ね方をする。答えはすぐに返ってこないこともあるので、じっくりと待つ。相手が答えに困っているときには、質問の方法を変える。 例 「人間関係で大事なことは何ですか？」 　　「あなたにとって大切なものは何ですか？」
誘導質問	答えを暗示して、相手に話をするきっかけを与えるときに使う。あまり多く使うと、相手の真意を読み取れなくなるおそれがある。 例 「……したほうがいいでしょうね」 　　「……は可能でしょうね」

▶ 5W2H
① When（いつ）
② Who（誰が、誰に）
③ Where（どこで）
④ What（何を）
⑤ Why（なぜ）
⑥ How（どのように）
⑦ How much、
　（いくらで）
　How many
　（いくつ）

1 お客さまに喜ばれる接客

❶ ニーズを把握する傾聴の姿勢

　お客さまに喜ばれる接客とは、お客さまの期待に応え、さらにはそれを超えるようなサービスを提供することです。そのためには、最低限のマナーを守り、本来のサービスを提供するだけでなく、お客さまのニーズを意識して行動する必要があります。

　お客さまのニーズを把握するために、まず、お客さまの話を傾聴することが大切です。このとき、お客さまの言葉だけでなく、表情や動作などにも注意を払いながら聴きます。

　仮にお客さまが「特に問題はありません」と言ったとしても、その声が小さくトーンが低いとき、目を合わせないようにしているときなどは、言葉の裏に潜在的な不満があるとも考えられます。

▶傾聴

相手が話したいことを批判せず、真摯に「聴く」ことです。相手と信頼関係を築くための大切なステップです。なお、「聞く」は単に耳で感じる、「訊く」は本人が知りたいことを尋ねるという意味の違いがあります。

▶最低限のレベルのマナー

『3級公式テキスト』「第3章　コミュニケーションとビジネスマナーの基本」32 ～ 47 ページを参照してください。

図表4－1　お客さまの期待・満足レベルに応える行動

①最低限のレベル	マナーの厳守	・「あいさつ」「言葉づかい」「身だしなみ」という最低限の基準を守る。 ・お客さまに不快な思いをさせない。
②一般的に期待するレベル	本来業務の追求	・適切な商品・サービスを提供する。 ・現状の品質を維持する。 ・お客さまが必要なときに、適切な量・価格で提供する。
③お客さまが喜ぶレベル	事前期待を超えるサービス	・お客さまの行動や言葉から、関心のありかを見抜く。 ・お客さま自身が気づいていないニーズを引き出す。

❷ 時代が求めるユニバーサルサービス

ユニバーサルサービスとは、国籍、年齢、性別、障がいの有無にかかわらず、あらゆる人の立場に立って顧客の満足を高めるサービスを提供することです。

多様な社会では、ユニバーサルサービスの考え方が重要になります。常にお客さまの様子に注意し、親身になって接する心がけが大切です。接客には、つぎのようなポイントが挙げられます。

（1）高齢者へのサービス

高齢者には、はっきりとした口調で、ゆっくりと丁寧に応対することが基本です。複雑な説明や案内は、メモにして渡します。

（2）目の不自由な人へのサービス

商品説明は、色、形、大きさなど特徴を言葉で丁寧に説明します。売場に案内する際には、肘または肩につかまってもらい、言葉で進行方向を説明しながら進みます。

（3）耳の不自由な人へのサービス

手話、筆談、口話（口の動きで言葉を読み取る方法）、ジェスチャーなどを併用します。補聴器を使っている人は、高音が聞き取りにくいので、落ち着いたトーンでゆっくり話します。

（4）車椅子を使用している人へのサービス

車椅子のお客さまには、必要に応じて介助を申し出ます。高い位置で取りにくい商品を代わって取る、エレベーターの場所、段差を知らせる、移動を補助するなどの対応をします。

（5）外国人へのサービス

外国語への応対や図や記号を使用した案内、異文化に対する教育など、事前に対応の準備をすることが大切です。

▶自らが目かくしをして歩行する、耳栓をして会話する、車椅子に乗ってみるなど、実際に不自由さを体感することで、どのようなサービスが有効であるか、理解を深めることができます。

▶**高齢社会**
2023 年 10 月時点で 65 歳以上の高齢者人口は 3,623 万人となり、総人口に占める割合（高齢化率）は 29.1 ％となりました。2070 年には、2.6 人に 1 人が 65 歳以上と推計されています。（内閣府「令和 6 年版高齢社会白書」より）

▶**耳が不自由な人への対応**
大きな声が聞こえる人には、売り場で大声を張り上げるのではなく、静かな場所に移動して大きめの声で話します。

2 お客さまの立場に立った営業の進め方

❶ 効果的な商談の進め方

ビジネスの貴重な時間をムダにしないためにも、商談を効果的に進めることが必要です。

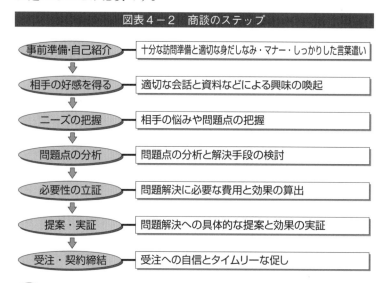

図表4－2　商談のステップ

事前準備・自己紹介	十分な訪問準備と適切な身だしなみ・マナー・しっかりした言葉遣い
相手の好感を得る	適切な会話と資料などによる興味の喚起
ニーズの把握	相手の悩みや問題点の把握
問題点の分析	問題点の分析と解決手段の検討
必要性の立証	問題解決に必要な費用と効果の算出
提案・実証	問題解決への具体的な提案と効果の実証
受注・契約締結	受注への自信とタイムリーな促し

❷ コンサルティングセールスを進める

お客さまの相談に乗り、お客さまの頭の中に漠然とあるニーズを引き出して、プランを提案できる営業がコンサルティングセールスです。コンサルティングセールスの手順はつぎのようになります。

図表4－3　コンサルティングセールスのステップ

④　折衝により購買に結びつける。
③　プランを提示する。
②　自社のノウハウと組み合わせる。
①　お客さまのニーズを引き出す。

▶何か身近な品をお客さまに勧めるなどの設定で、簡単なロールプレイングに取り組んで理解を深めるとよいでしょう。本を読んで理解することと、実際にできることの違いを学ぶことができるので、ロールプレイングは有効です。また、実際の業務でも、商談前にロールプレイングをすることは、当然のように行われています。

▶コンサルティングセールスの例
売上不振に悩んでいる相手に、営業不振の状況を聴き、打開できる具体的なアイデアや商品・サービスをまとめて提供し売上の向上を支援します。

▶図表4-3で必要とされる能力
①お客さまのニーズを引き出す：インタビュー能力

❸ お客さまのニーズを引き出す

お客さまのニーズを引き出すためにはまず聴くことが大切です。お客さまが話す内容には、重要な情報があるからです。

① アクティブリスニングを心がけ、「聴き上手」に徹します。
② お客さまのニーズを把握するポイントを押さえます。

> ① 商談中は相手の反応を注意深く観察し、相手の興味や関心のありかを見きわめる。
> ② 相手が気づいていないニーズを引き出す。
> ③ 相手に役立つ情報や資料を提供する。
> ④ 訪問した会社の雰囲気や、面談した相手の反応などから、今後の営業活動の方向性を決める。

③ お客さまが反対の意見を述べたときには、適切な切り返しをすると納得を得やすくなります（応酬話法）。

> ① 質問法…反対の言葉に対して、「なぜなのか」その理由を確認・視点を変えさせる質問を行う。
> ② Yes － But 法…いったん反対を受け入れて、「しかし」と続ける。
> ③ 引例法…実例を紹介し、説得力を高める。

❹ 信頼関係の構築

お客さまとの信頼関係の構築は、ビジネスの輪を広げることにつながります。信頼関係を築けたお客さまは、継続的な取引の相手となるとともに、新しい取引先の紹介者にもなります。信頼関係の構築のためにはつぎのようなポイントがあります。

> ① 商談の仕上げ（納品時やサービス実行時）はつぎの商談の始まりと考え、最後まで誠意ある営業活動を心がける。
> ② アフターサービスを充実させ、つぎのニーズにつなげる。
> ③ お客さまとのコミュニケーションを大切にし、まめに訪問する。

②自社のノウハウと組み合わせる：プランニング能力
③プランを提示する：プレゼンテーション能力
④折衝により購買に結びつける：ネゴシエーション能力

▶アクティブリスニング
「３－４ アクティブリスニングと質問技術」40 ページを参照してください。

▶応酬話法の例
質問法
「お高いとのことですが、この商品で実現できる効果と従来の商品の効果とを、品質面、性能面で比較してみてはいかがでしょうか」

Yes － But 法
「たしかにお安くはありません。しかし、今お悩みの問題が解決できるならば、本当に安心していただけるのではないでしょうか」

引例法
「おかげさまで、すでに 20 社にご採用いただいております。ご参考までにご案内いたしましょうか」

3　お客さまを獲得するには

❶　お客さまを獲得するためのポイント

（1）お客さまの行動を知る

　お客さまのニーズを把握するために、その行動を知ることが大切です。日ごろからお客さま情報の収集に努める必要があります。

（2）競合他社の情報を集める

　競合他社の動向にも常に注意を向け、競合他社に勝る商品やサービスを提供し続けなければなりません。

（3）隠れたニーズを探る

　隠れたニーズを探るには、お客さまが購入しなかった理由を探ったり、購入したお客さまから感想を聞いたり、販売データを分析したり、多角的な視点で考えます。

（4）社会環境の変化に対応する

　東日本大震災や新型コロナウイルスの世界的流行など、社会環境は急激に変化し、お客さまのニーズも常に変化しています。環境の変化にともなうお客さまのニーズの変化を早く的確に把握することで、新規顧客獲得や顧客満足向上のチャンスにします。

❷　見込客から得意客へ

　お客さまを会社に対するロイヤルティで分類すると、まだ取引のない見込客、はじめて取引があった新規顧客、二度目の取

▶接客や営業の中でも、お客さまの言動を観察して、ニーズを探ることも大切です。

▶競合他社と自社の商品やサービスを比較して、自社の強みや弱みを把握することが大切です。

▶新型コロナウイルス下のニーズ
外出を控えて自宅にこもるため、ネット通販、食事の宅配のニーズが、オンライン会議が広がったため、ウェブカメラなどのニーズが増えました。

▶ロイヤルティ
忠誠心や愛顧の度合いが高いことを指します。得意客のことをロイヤルカスタマーと呼ぶこともあります。

引があったリピーター、何度も取引がある得意客、長年の得意客である生涯顧客に分類できます。お客さまをつかむということは、見込客から新規顧客を開拓し、得意客を増やすことです。

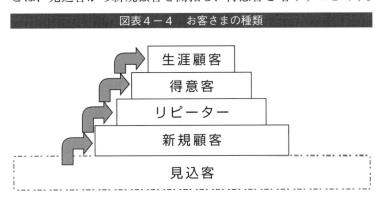

図表4－4　お客さまの種類

| 生涯顧客 |
| 得意客 |
| リピーター |
| 新規顧客 |
| 見込客 |

（1）見込客から新規顧客を獲得するには

　見込客に対する広告宣伝や営業活動で、自社の商品やサービスの良さを訴求し、購入を促します。

（2）新規顧客をリピーターにするには

　お客さまが満足する商品やサービスを提供して、再利用につなげる対応をすることです。

（3）リピーターを得意客にするには

　お客さまのニーズに応え続けることが大切です。そのために、お客さまの要望や意見を傾聴し、お客さまのニーズの変化や自社の商品やサービスに対する評価を収集し、改善を続けます。また、利用を促すために、ダイレクトメールなどの営業活動も必要です。

図表4－5　お客さまとの関係づくり

- ①見込客を新規顧客に
- ②新規顧客をリピーターに
- ③リピーターを得意客に
- ④得意客を生涯顧客に

- ・広告宣伝
- ・来訪頻度
- ・商品、サービス
- ・接客態度
- ・アフターサービス
- ・DM、クレーム対応
- ・個別提案
- ・定期的な接触

▶得意客は、知人や友人に対して、自社の商品やサービスを紹介してくれることがあります。得意客を増やすことは、結果として、新規顧客獲得にもつながります。

▶購入した商品やサービスに満足を得られなかったお客さまは二度と購入しません。それだけでなく、周囲に不満を訴えることもあり、多くのお客さまを失うことにもつながります。

▶お客さまが満足する商品やサービス
「２－４ 仕事の原点はお客さま」29ページを参照してください。

第1編

4

4 顧客満足を高めるための情報収集

❶ お客さまの情報を収集する目的と方法

　顧客満足を高める第一歩は、お客さまのニーズや不満を把握することです。そのうえで、自社の商品やサービスの改善につなげることが大切です。

　そのためには、常にお客さまに関するあらゆる情報を収集し、蓄積して、いろいろな視点で分析する必要があります。

（1）社内でもつデータの利用

　まず、社内にあるデータを利用して、自社に来店・訪問・関係するお客さまのニーズを把握します。販売データ（POSデータ）や顧客データを読み取り、売れ筋商品や来店している顧客の客層などを把握し、その理由を分析し、つぎの改善策に役立てます。

（2）公表されているデータの利用

　統計データや会社の経営情報など、公表されているデータを利用して、対象顧客、見込客のニーズを客観的に把握します。さまざまなデータから、商品の動きの裏にある、お客さまの生活や企業活動の変化に目を向けて、既存顧客の新たなニーズや見込客のニーズを探ります。

❷ 数量化できない情報を把握する

　たとえば、商品が売れなかった原因はコンピュータでデータを処理するだけではわかりません。商品の購入ターゲットである顧

▶POSデータ
　POSシステムから集めた売上や商品販売数のデータです。自社のデータだけでなく、全国のスーパーマーケットなどの販売データも集計されており、有料で購入することができます。

▶販売データや顧客データのデータ処理にAIを活用して、顧客の行動やニーズを分析する動きも始まっています。

▶公表されているさまざまな統計データ
①白書
　経済財政白書、高齢社会白書、ものづくり白書などがあります。
②政府統計
　国勢調査、人口動態調査、家計調査、貿易統計、作物統計、労働力調査、学校基本調査などがあります。

客心理などの背景、生活が見えていないと顧客のニーズは把握できません。日常の人づき合いやソーシャルネットワーキングサービス（ＳＮＳ）、口コミ情報からもこうした数量化できない情報のトレンドは把握できます。

つぎに挙げるものは、こうした情報の例です。

> ① つぎの季節に若い女性の間で流行すると予想される色は何か。
> ② ターゲットとする年代のお客さまは、どのような生活習慣や嗜好をもっているのか。

❸ お客さまから情報を直接集める

お客さまから直接聞いた生の声は、自社の商品やサービスに対する不満や隠れたニーズを知るうえで貴重な情報です。お客さまとの接点は以下のようなものがあり、それぞれ大切です。

（1）営業担当者や販売員による聞き取り情報

営業担当者や販売員が営業活動の中でお客さまから直接聞いたり、観察して得た情報は、会社に報告し、貴重なデータとして保持し役立てます。

> ① 営業活動を記録し報告する。いつ、だれと面談してどのような会話をしたか。購入に至った動機は何だったのかなど。
> ② お客さまが商品を購入した瞬間や使用した瞬間にお客さまの意見や感想を聴くと本音や動機が聞きやすい。
> ③ お客さまが商品の購入に至らなかった場合でも、なぜ購入に至らなかったのかを、観察や会話の中から探る。

（2）問い合わせやクレームの情報

お客さまから寄せられるさまざまな声（苦情、問い合わせ、意見、アイデアなど）を記録して、データとして蓄積します。それを社内で共有、情報提供しあい、関係する各部門で商品やサービスの改善につなげます。

▶ SNS（Social Networking Service）インターネット上で人と人とのコミュニケーションを促進・サポートするサービス。主なSNSとして、Facebook、X（旧Ｔｗｉｔｔｅｒ）、Instagram、LINEなどが有名です。SNSの普及とともに不用意な発言や誹謗中傷によるトラブル、画像の写り込みによる個人情報の流出、長時間利用による日常生活への悪影響などが問題になっています。

第1編

4

▶営業活動の内容や顧客情報を共有するために、「営業日報」などの報告書の提出ルールが決まっている会社もあります。

▶購入に至らなかったお客さまの話から、気づかなかったニーズを発見できることがあります。

▶クレーム
「5－1 クレームの理由とお客さまの心理」50～51ページを参照してください。

1 クレームの理由とお客さまの心理

❶ クレームが起きる理由

　お客さまの不満は事前期待と実績評価の差から生まれ、この差が大きい場合はクレームにまで発展します。

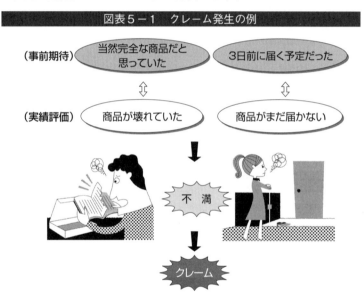

図表5−1　クレーム発生の例

| （事前期待） | 当然完全な商品だと思っていた | 3日前に届く予定だった |

| （実績評価） | 商品が壊れていた | 商品がまだ届かない |

不　満

クレーム

　潜在クレームとは、お客さまの中にある不満など、表に出てこないクレームのことです。潜在クレームを見過ごすと、不満をもったお客さまから口コミで多くの人に伝わってしまう可能性もあります。不満をもったお客さまと向き合い、問題解決を図り、不満を信頼に変える応対が求められます。

❷ クレームを受けるときの心構え

　クレームを最初に受けた人は、会社を代表しているという意識

▶クレームの伝達手段
　クレームは直接対面で伝える方法のほか、お客さまアンケートや手紙があり、最近は電話やEメールが増えています。

▶クレーム内容には、商品の故障、損傷などがあります。その多くが誤解を招く接客の不手際などの人的要因によるものといわれています。

で対応する必要があります。正社員でも、パート・アルバイトでも、お客さまはその場にいる人を会社の代表として見ます。クレームはニーズの裏返しと受け止めて、お客さまの要望を傾聴した結果から、ヒット商品が生まれた例は数多くあります。小さなクレームも放置したり、軽視せず、真摯な対応が求められます。

❸ クレームを言うお客さまの心理

クレームを言ってくるお客さまは、起こった問題を解決するために、具体的な行動や改善をしてくれるものと期待しています。クレームを「面倒だ」ととらえることは、お客さまからの信頼を一瞬で失い、将来、会社は深刻な影響を受けることになりかねません。

（1）現実的な原因によるクレーム

商品の不備や納期遅れなどは「早く何とかしてほしい」という要求があります。原因を「いつまでに、だれが、どのように」解決するか、意思を具体的に伝えて、すぐ行動することが大切です。

（2）感情的な原因によるクレーム

・まず、苦情の内容を、正確に聞き出し、不快感をもたれたことを謝罪します。
・「私は客だ」という顧客としての権利意識からクレームにつながった場合は、おわびと傾聴で誠意を伝えることが大切です。
・冷静さを欠いたお客さまには、時間をかけて丁寧に話を聞き、状況によっては聞く場所を変えることも考えます。
・誤解から来るクレームは誠実な態度と言葉づかいで応対します。
・得意客であるという優越感からクレームを言うお客さまは、「お得意さまなのだから大切にしてほしい」という要求をもっています。おわびや傾聴はもちろん、得意客でいてくれることへの感謝を伝えることが大切です。

▶クレームから生まれた商品
【つめ替え商品の事例】
シャンプーや洗剤などのつめ替えは経済的だが、つめ替えるさい、こぼれてしまうという苦情が相次ぎました。そこで、いろいろと検討を重ね、つめ替え用の注ぎ口として堅い円形の注ぎ口をつくりました。ボトルの中で注ぎ口が入るので、いまではきれいにボトルに注げるようになりました。

▶クレームから生まれたサービス
【宅配業者の事例】
昼間働いているため宅配便が受け取れないという不満から生まれたのが、時間帯お届けのサービスです。さらに、荷物は届けてくれるのに荷物を出すときは近くの取扱店まで行かなければならないのはやっかいだという不満から、自宅までの集荷サービスが生まれました。

第1編

5

2　不満やクレームを防ぐ方法

❶　代表的なおわびの言葉

　クレームに対しておわびする場合、「申し訳ございません」の
ひと言では不十分です。一方、「申し訳ございません」を繰り返
しては、かえって無責任な印象を与えかねません。状況に応じた、
誠意あるおわびの言葉の例をつぎに挙げます。

①　ご迷惑をおかけして、大変申し訳ございませんでした。 ②　私どもの不行き届きで、お手数をおかけいたしました。 ③　私どもの説明が至りませんで、大変失礼いたしました。 ④　不愉快な思いをさせてしまい、申し訳ございません。

　おわびの言葉には不向きな表現もあるので注意します。

「まことに遺憾に存じます」	「遺憾」は残念という意味であり、おわびの言葉ではない。
「心苦しいかぎりです」	「心苦しい」という自分の気持ちを述べているだけで、おわびの言葉ではない。
「おわびせざるを得ません」	非を認める気持ちがなく、「本当はわびたくないが、仕方なくわびる」と言っているのと同じことになる。

❷　不満をもたれないようにするには

　お客さまがどのくらいの事前期待をもっているかを知り、その
期待より高いサービスの提供を継続的に行うことが大切です。
　不満をもたれないためには、つぎのような対応が必要です。

▶クレーム対応で使ってはいけない言葉
×「でも」
×「しかし」
×「先ほども申しましたが……」
×「そうはおっしゃいましても……」
×「たぶんそう思います」
×「一応、伺いますが……」
×「はい、はい、はい」
×「ちゃんとこちらにも書いてありますよ」
×「わかりました。とにかく返金させていただきます」

① 担当者によってサービスに差が出ないように標準化し、サービスレベルを継続的に向上させます。
② 表面に現れたクレームだけではなく、隠れたクレームにも耳をすませ、常に改善を心がけます。
③ 他のお客さまの前では、特別なお客さまであっても、対応に差をつけないようにします。

❸ クレームを防ぐ手段

（1）販売前の商品・利用方法の説明

　クレームを未然に防ぐには、「そんな説明を受けなかった」というようなことがないよう、行き届いた説明が求められます。

（2）立場・関係を十分に認識した態度

　常にお客さまに失礼のない態度を心がけます。

（3）お客さまアンケート、意見インタビューなどの活用

　顕在クレームに誠実な対応をするとともに、日ごろからお客様アンケートやインタビューなどを活用して、お客様の声に耳を傾け、潜在クレームも把握するよう努めます。そして、クレーム内容の原因を追究して改善することでクレームを防止します。

図表5－2　クレームを言うお客さまは「氷山の一角」

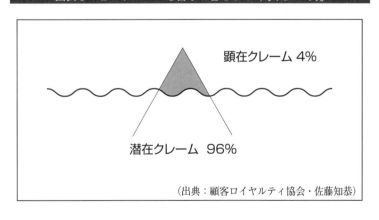

顕在クレーム 4%

潜在クレーム 96%

（出典：顧客ロイヤルティ協会・佐藤知恭）

▶多くのお客様は、不満を感じてもクレームを申し立てずにがまんをしています。図表5－2は、1980年頃のアメリカにおける消費者苦情処理の調査結果です。1件のクレームの裏には、20倍以上の潜在クレームが隠れていることがわかります。クレームを一部のお客様の不満ととらえるのではなく、多くのお客様の不満を代表しているととらえましょう。

3　クレームの再発防止

❶ 問題の拡大を防ぐ

（1）相手の感情を受け止める

　クレームの原因が何であったにしても、お客さまは苦情を言いにきたこと自体で感情が高まっていることが多いものです。まず、手数をかけたことに対しておわびを述べ、相手の感情を受け止めます。そして、こちらに明らかに非がある場合はきちんと謝罪します。相手の感情が落ち着くのを待ってから、クレームの原因について事実関係を詳しく聴き、双方で確認します。

（2）あいまいな対応はしない

　会社を代表してお客さまに対応しているという意識をもつことは大切ですが、自分で判断できないことや解決できないことまでその場で対応しようとするのは避けます。あいまいな説明やいいかげんな答え方は、お客さまの感情を刺激して事態を悪化させ、解決できないばかりか、会社の信頼を失うことになりかねません。

　その場で解決できないときは、後日あらためて話を聴く、上司に対応を依頼する、などの方法をとります。

❷ 再発を防ぐ

（1）責任をもって回答し実行する

　お客さまに後日の回答を約束した場合は、期日を厳守して回答し、お客さまから解決策の了解を得ます。その後、確実に実行し、実行した結果についてもお客さまの了解を得ます。

▶相手に不安を与えないため、「私、○○がご連絡します」と個人名を名乗ったり、回答に時間がかかる場合は「30分ほどお時間をいただけますか」などと明確に時間を示し、さらなる不安を与えないようにします。

▶クレーム対応と法令知識の関係
　クレーム対応では、法令に則した対応をし、場合によっては補償や損害賠償の問題を考慮する必要もあります。そのためにも、商取引に関する法令知識を身に付けておくことが必要です。

調査を必要とし時間がかかるようなクレームでも、なるべく早期に回答できるようにします。そのため、日ごろからクレーム対応の手順を確認し、万全に整えておくことが大切です。

（2）クレームの再発を防止する

クレームには何らかの原因があり、原因を分析し解決しておかなければ、再度同じトラブルが発生すると考えられます。したがって、クレームが発生した場合には、対応と処理の結果を必ず上司に報告します。そして、クレーム内容、発生理由、対処内容と結果、反省事項などを記録に残しておきます（クレーム報告書）。

その記録をもとに、必要に応じて部内や社内の会議などにかけ、根本的な改善策を立てることが大切です。また、マニュアルなどを見直して、同じクレームの再発防止を図ります。

❸ 対面以外のクレームへの対応

（1）電話の場合

回答に時間がかかる場合は、電話を切り、こちらからかけ直します。解決に時間を要するときは、その旨を伝え了解を得ます。

十分なおわびが必要な場合は、電話でなく、直接会って説明する、書状を出す、などの対応を検討します。

（2）手紙・Eメールの場合

一般に、手紙には手紙で、EメールにはEメールで対応することになります。しかし、緊急性や重要度が高い場合や内容によっては、電話を用いたり、直接会って説明するなどして誠意を示す必要があります。

手紙やEメールは文書として記録に残るので、口頭より慎重に扱い、どれほど簡単なものに思えても、必ず上司の確認を取ることが必要です。また、記録や証拠としてある程度正式な形式にする場合は、顧問弁護士などのチェックを受けることも考えます。

▶クレーム再発防止に有効なクレーム報告書の作成
朝礼やミーティングなどでクレームについて口頭で伝えると、周知が徹底されないおそれがあります。クレーム報告書を作成し、社内ポータルなどに記録を残すことで、より確実にクレーム情報の共有化ができます。再発防止の観点からも、クレーム報告書の作成は有効であるといえます。

▶根本的な改善策を立てるまでの当面の対応を協議することも必要です。

第1編

5

1 会議の基本的な流れ

❶ 会議の目的

　会議はさまざまな目的をもって行われます。たとえば、業務の目標達成の状況確認、新商品の企画検討、作業現場における生産性向上などが目的にあげられます。したがって、目的が不明確な会議、書面やＥメールで代替できる会議は、行わないのが適切です。

　会議には、複数の人間が同じ問題を話し合うことにより、自分と異なった視点や意見があることを知ることができ、視野を広げられるというメリットがあります。

　会議の流れは、一般的に図表6－1のようになります。1回で終わる場合もありますし、数回にわたる場合もあります。

図表6－1　会議の流れ

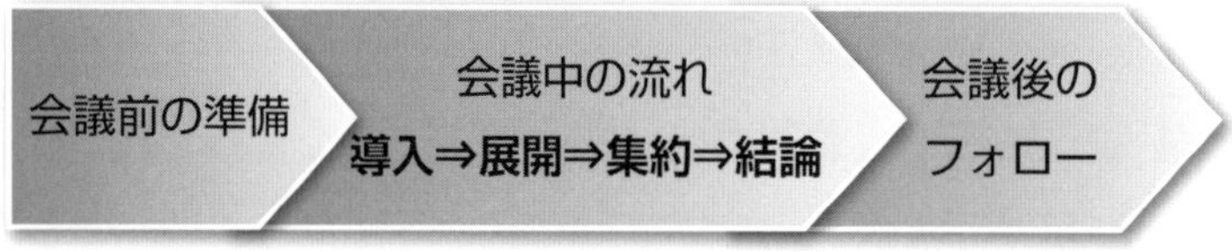

```
会議前の準備 ⟩ 会議中の流れ 導入⇒展開⇒集約⇒結論 ⟩ 会議後の フォロー
```

❷ 会議前の準備

　会議の前には、つぎのような手順で準備を進めましょう。

① 会議の目的、議題を決める。
② 会議の出席者を決める。
③ 開催日時を設定する。
④ 議事内容によっては、事前調整を行うことも考える。
⑤ 会議の開催案内を出す。
⑥ 資料を人数分準備し、必要なら事前に配布したり、メールを送る。

▶会議には、ブレーンストーミングなどの手法を用い、明確な結論を求めずにアイデアを自由に話し合う方法もあります。

▶就職試験においてグループ討議を採用している企業が多くあります。これは、企業が会議を重視していることの表れです。1つのテーマを掲げ、実際に討議などをすると、会議への理解を深めることができ、就職活動にも役立ちます。

▶会議の開催案内の主な内容はつぎのとおりです。
①日時、所要時間（予定）
②場所
③出席者
④議題
⑤持参資料（必要に応じて）
⑥配布資料（必要に応じて）

❸ 会議に参加する姿勢

　会議は複数の人が出席します。自分だけでなく他の人の貴重な時間を使うことになるので、効率的に進めて成果のあるものにする必要があります。少なくともつぎのことを行いましょう。

【事前準備】
① 何のための会議か、何を討議するのかを確認しておく。
② 前回の議事録や資料を読んでおく。
③ 自分の意見をまとめておく。

【会議中】
① 会議の進行が円滑に運ぶように協力する。
② 時間を守る（開始時間、発言時間、進行時間）。
③ 他の人の発言を傾聴し、積極的な発言を心がける。

　入社して間もない時期や、異動で新しい部署に移ったばかりのころは、部署内外の事情がまだよくわからないものです。しかし、他の人の発言を傾聴することで、同じ考えをもつ人が見つかったり、自分の担当業務のヒントを得られることもあります。また、自ら申し出て議事録を作成すると、会議の内容や周辺の事情も理解することにつながります。積極的に会議に参加しましょう。

❹ 会議での意見の発表

　意見を述べるときは挙手をして、司会者の許可を得てから話します。また、指名されたときは、あまり時間をおかず意見を述べます。そのためには、５Ｗ２Ｈに沿って短時間で話せるように常に自分の意見を考えておきましょう。たとえ、入社１、２年目であっても、「ちょっと経験がないので」などと言いわけや前置きをしないで、単刀直入に新人なりの率直な意見を述べるようにします。また、人の意見が「自分の意見と違う」と感じても、感情的に反論せず、冷静に自分の意見を述べて、議論を交わします。

　最終的には会議で決定した内容を受け入れ、会議に参加した人たちとともに仕事を達成しようとする意識が重要です。

▶zoom などを用いた web 会議も、場所を問わず時間を効率的に使えるため、柔軟な働き方に適した会議形態として普及してきています。

▶会議の進行への協力の具体的な例はつぎのとおりです。
①会議開始５分前には着席します。
②前もって用件をすませておき、離席・中座しないようにします。
③携帯電話は電源を切るかマナーモードにしておきます。
④私語を慎み、雑談にならないようにします。

▶傾聴
「４－１　お客さまに喜ばれる接客」42 ページを参照してください。

▶会議における５Ｗ２Ｈ
①会議の目的（Why）
②議題（What）
③場所（Where）
④開催日時（When）
⑤出席者（Who）
⑥会議の進め方やまとめ方（How）
⑦会議の長さ（How Long）／案件の予算や価格（How Much）

第1編

6

2　会議の司会と進め方

❶　司会者の役割

　会議をうまく進行するためには、会議の目的や参加者を把握して、それに応じた進め方を工夫する必要があります。

　司会者は、会議の進行役です。会議の目的をよく理解したうえで最適な意思決定となる結論を出すため、参加者全員の雰囲気をほぐしたり、活発な議論を促して、場づくりに努めましょう。

　会議で結論を出す際に注意しなければならないのは、司会者やリーダーなどの一部の参加者の独断ではなく、参加者全体の意見を議論した結果である必要があります。

　また、会議の内容や結論を、参加者だけでなく、会議の内容に関係する人に知ってもらう必要があります。これは会議で決まった結論をもとに、関係者が共通の仕事の達成に向かって行動する必要があるからです。司会者は、書記を任命して会議の記録（議事録）を残し、参加者と関係者に配布するまで責任があります。

　よい司会者となるためには、議事内容に精通することはもちろん、司会者の立場と役割を理解し、いろいろな場合に対応できる進め方を知っておくことも大切です。

❷　司会者としての発言

　司会者の発言の大きな目的は、討議を始める（導入）、いろいろな意見を出す（展開）、議論の方向を変える・結論を導く（集約）、討議を終える（結論）といった会議の進行です。場面の状況に合わせて言葉を選び、場をリードしていくことが大切です。

▶司会者は会議を進行するとともに、発言者の発言趣旨を明確にしたり、それぞれの論点を整理するような役割も担います。

図表6-2 会議の進行

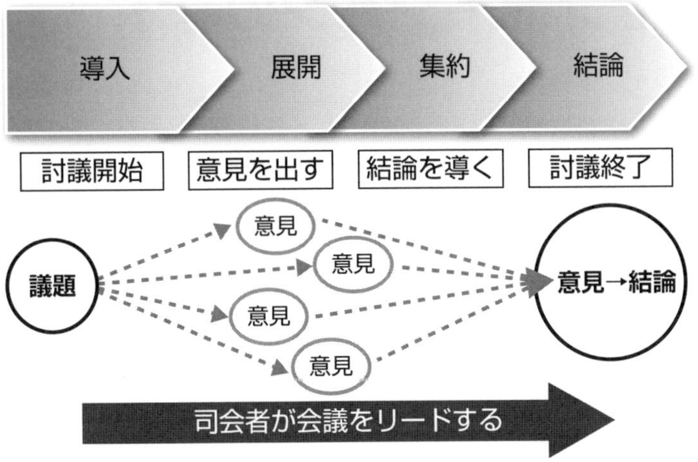

導入　展開　集約　結論

| 討議開始 | 意見を出す | 結論を導く | 討議終了 |

議題 → 意見 → 意見 → 意見 → 意見 → 意見→結論

司会者が会議をリードする

❸ 討議の進行に向けた心構え

　司会者は、出席者全体で意見を議論し、結論を導いていく会議の進行役です。混乱のないように討議を進める必要があります。

会議前の準備段階：「会議の5W2H」を出席者全員に連絡。

会議中：司会者が直接意見を言うことは控え、客観的な立場で会議の目的に沿った結論を導き出すようにする。また、司会者はどのような状況におかれても、決してあわてたり、感情的になってはならない。常に冷静に会議を進行していくことが大切。

会議終了時：会議の結論や決定事項を参加者に再確認する。

会議終了後：会議の記録をチェックし、書記などの担当者が関係者に議事録をスムーズに配布できるようにするための手助けをする。また、会議で出た結論を各担当者が予定通り実行するように促すことが大切。なぜなら、会議で決まった結論をもとに、仕事の達成に向かって、各担当者が行動してはじめて、会議を開催した価値が生まれるからである。司会者は、単に会議中の進行だけでなく、会議後のフォローまで責任をもってやり遂げることが大切。

▶「6−1 会議の基本的な流れ」56ページを参照してください。

▶上席者に了解が必要な場合や、どうしても結論が出ない場合などは、確認事項や整理した論点を提示します。

第1編
6

3 会議での プレゼンテーションの基本

❶ プレゼンテーションの目的

　プレゼンテーションの目的は自分の考えを的確にアピールし、理解してもらうことです。プレゼンテーションはさまざまな場面で行われます。商品・サービスの売りこみをはかる、企画案を提示する、方針や考え方を理解してもらうなど、多くの機会があります。実施プロセスは、基本的にはつぎのとおりです。

事前準備	内容作成	リハーサル	本番
相手の関心事の把握→決め手となる事柄の決定	シナリオ作成→関連情報の収集→資料作成	通しで1回以上練習発表→内容の修正	相手の反応を確認しながら、落ち着いて発表

　ビジネスで大切なことは相手に提案を受け入れてもらうことです。提案内容自体がどんなに優れていても、プレゼンテーションに失敗すれば成果が得られません。以下は、プレゼンテーションを成功させるポイントです。

① **主張が明確**：今回、自分は何を伝えるか。
② **相手の関心事**：内容が相手の興味・要求に応えているか。
③ **事実の裏づけ**：説得力のある論理になっているか。
④ **効率的な説明**：複雑な内容は図表化しているか。
⑤ **自信**：熱意と迫力のある説明になっているか。
⑥ **態度・行動**：聞き手を不快にさせないか。

❷ プレゼンテーションの効果的な内容構成

　まず大切なことは、相手にとっての具体的なメリット、相手が

▶プレゼンテーションを学ぶ理由は、自分の考えや提案内容を相手に理解してもらうためです。いくらすぐれた内容であっても、相手に伝わらなければ仕事はうまくいきません。また、短時間で相手に内容を伝えられるようになると、好感をもたれる可能性が高くなります。

▶就職試験での面接は、自分のことを面接者（会社）に理解してもらう場です。プレゼンテーションの基本を身につけると、就職活動にも役立ちます。

▶たいていの場合、プレゼンテーションの最後に質疑応答があります。準備段階で予想される質問に対する答えを用意しておきましょう。また、その場で正確に答えられないときは、後日確認して回答することを伝えましょう。

求めていることを正確に理解することです。これを出発点にして、つぎの要素でプレゼンテーションを構成します。

①	本論への導入部分（序論）
②	理解してほしい内容の説明部分（本論）
③	本論をまとめて締めくくる部分（結論）

序論	今回発表するテーマ、内容の骨子を組みこむ。「背景となる全体から伝えたい部分へ絞り込む」、「結論が先、理由は後」を意識し構成すると伝わりやすくなる。
本論	テーマについて必ずしも理解が深いとは限らない相手に対して、短時間でわかってもらうため、組み立て方を工夫することが大切。経緯など時間的な流れ、地域・場所など空間的な順序、組織など階層、因果関係などの切り口で整理する。また相手の理解を深めるために、裏づけのデータや情報をグラフや模式図にする。
結論	本論の内容を簡潔に要約し、今後の行動や展開の方向を述べる。

❸ プレゼンテーションのときの話し方

　最初に、伝えたいポイントがいくつあるかを示します。続いて、わかりやすい言葉を使って、適度な「間」をおいて、相手の反応や理解度を見ながら話を進めます。また、声の大小・高低、話すスピード、身振り、相手への目配りにも配慮します。

❹ プレゼンテーションにおけるパソコンとEメールの活用

　提案や説明、資料の展開やシミュレーションなどにパソコンを利用することで、討議が具体化、活性化します。また、会議の開催案内や議事録、資料の配布にEメールやグループウェアを使うと、仕事が効率化されます。場面、状況に合わせて、パソコンとEメールなどのツールを適切に活用しましょう。

▶直感的に説明する方法として、たとえ話（比喩）を用いることも有効です。

▶プレゼンテーションの場では、資料をじっくりと読んでもらえるとは限りません。キーワードを箇条書きにすることを心がけましょう。

▶表現するうえで、言葉（言語表現）だけでなく、話し方や態度など（非言語表現）も大切です。先輩やセミナー講師などのプレゼンテーションを参考にしたり、自分のプレゼンテーションを上司や先生に評価してもらうと、レベルアップします。

第1編

6

1 チームワークの意義と重要性

　チームワークとは、多様な個性と価値観をもった他人同士が、互いに認め合うことで、個人の力だけではできない成果を、チームで成し遂げることができる、ということです。

　競争の厳しい現代のビジネス社会で、新しいアイデアを生み出し実現するためには、集団のメリットを最大限に発揮することが必要です。

❶ チームワーク発揮の条件

　チームワークを発揮するには、個人がチームワークの重要性を理解していること、必要な条件が満たされていることが前提です。

（1）共通の目的や目標がある

　目指すものがわからなければ、力の出しようがありません。何のために目標を達成するのかが理解され、それが全員の参加意識につながっていることが大切です。

（2）役割分担や責任が明確になっている

　自分の基本的な役割分担が明確になることで、目標が設定でき、そのための責任も生まれます。どの部署のどの人と協力したらよいかも、活動のための大切な情報です。

（3）互いのコミュニケーションが活発である

　自由に意見を交換し情報を共有し合うことによって、互いの知恵を活用できる雰囲気が生まれます。

▶チームワークを発揮するには、個人がチームのメンバーに信頼されている状態であることは、非常に大切です。ここでは人に好かれる6つの法則を紹介します。

〔人に好かれる6つの法則〕
①相手に対して誠実な関心を寄せる。
②笑顔を忘れない。
③名前を覚える。
④聴き手にまわる。
⑤興味のありかを見抜く。
⑥心からほめる。
　（出典：デール・カーネギー『人を動かす』創元社）

（4）全員が合意する約束・ルールが存在する

　仕事の進め方や行動のあり方にルールがあることで、それぞれの力の分散を防ぐことができ、効率的な活動ができます。

（5）目標の達成度合い・成果を全員で共有する

　情報の共有は、現状を理解でき、変化に応じた判断ができます。同時に、達成時の喜びを全員で分かち合うことができます。

❷ チームワークを阻害する要因

　チームワークを阻害する要因として、以下の点が挙げられます。

（1）スタンドプレー

　全体の仕事の効率を下げるだけでなく、トラブルにもつながります。緊急事態など、やむを得ず自分だけの判断で行動したときは、速やかに事後報告をしましょう。

（2）無関心

　自分に与えられた仕事だけをしていては、チームワークは保たれません。また、ナレッジマネジメントにおいても、マイナスになります。職場の目標、仕事の状況、周囲の人の動きなど、互いへの関心を高くし、自由な意見交換を行うことで、職場全体の能力が向上していきます。

（3）ルール違反

　ルールは個人の行動を制限するためではなく、チームワークをスムーズに発揮させるためにあります。秩序を保ち、全員の力が同じ方向に向くために、ルールを守ることが必要です。なお、就業規則、仕事の納期、マナーなども、広い意味でルールに含まれます。

▶社内コミュニケーションのポイント
①立場の理解…自分の立場を認識する
②好き嫌いの排除…個人的な感情で仕事に影響を与えない
③先入観の排除…外見などで判断せず、相手を知ろうとする
④知識・経験、年齢の差の尊重…知識・経験の共有は仕事の財産になる。年齢差による違いは敬意を払い、共通の視点を見つける
⑤目的の理解…職場のコミュニケーションは、仕事の目的の共通認識から始まる

▶スタンドプレー
　自分だけ目立とうとする行為をいいます。報告・連絡・相談を軽視した行動の結果でもあります。

▶ナレッジマネジメント（knowledge management）
　情報技術をベースに、個人のもつあらゆる知識や経験を会社内で共有し、企業活動のあらゆる面で有効に活用して経営効率を飛躍的に高める手法をいいます。「知識管理」などと訳されます。

第1編

7

2 リーダーシップと メンバーシップ

❶ チームワークを支えるために

　チームワークの効果を上げるためには、リーダーが良好なリーダーシップを発揮することが不可欠です。また、チームのメンバーは、メンバーシップにより、それぞれがチーム活動に積極的に参加し、役割を十分果たす必要があります。

　リーダーシップとは、チームが目標を達成するために、チームワークを発揮できる状態をつくることです。仕事の目標をチームにわかりやすく伝え、方法を指示し、メンバーが目標に向かって行動できるように、チームの一人ひとりに気を配ります。

　メンバーシップとは、チームの一員としての自覚をもち、リーダーである上司、先輩、同僚とともに目標達成に向けて行動することです。コミュニケーションの基本である報告・連絡・相談を怠らず、自分に与えられた仕事を確実に遂行していきます。

❷ リーダーの役割とは

（1）目標を決める

　リーダーは所属するグループの与えられた権限や役割の範囲で目標を定めます。メンバーの能力を見極め、努力すれば達成可能となる一段高い目標を設定します。

（2）行動基準を決める

　チームのメンバーが思い思いの行動をしては、全体の力となりません。全員が同じ方向を向いて行動するための基準をつくります。

（3）仕事を指示する

目標に対して、チームのメンバー各々のやるべき仕事を計画し、指示します。また、チーム全員が互いの仕事をわかるようにします。

（4）目標達成の動機づけをする

仕事を成し遂げたとき、チーム全員で達成感を味わえる環境をつくります。その達成感がチームや個人にとって自信になります。

▶動機づけ
モチベーションともいわれます。生理的欲求から社会的欲求まで広く用いられ、人は何によってやる気が高まるか、さまざまな研究や理論があります。

（5）結果をきちんと評価する

目標を達成したときはそのことを評価します。達成できなかったときは反省し、理由をメンバーと一緒に考え、努力した部分は評価します。

❸ メンバーの役割とは

（1）全体の目標を念頭に置く

チームとして、目標を達成するためには、メンバーの各人がその目標を理解することが大切です。

▶ただリーダーに言われてついていくのではなく、メンバーとして目標を理解したうえでの主体的行動が求められます。

第1編

7

（2）自分の役割を完全に実行する

自分の役割を果たし、リーダーを助けてメンバー間の調整を行うことがチームの目標達成の条件となります。

（3）自分から他人への協力を申し出る

自分の役割を行うとともに他の人を手伝うことで、チームとしての一体感が生まれます。

▶苦手なことは誰にでもあります。互いに補い合うことにより、強いチームワークが生まれ、高い目標に到達できます。メンバー同士、お互いの弱点を補完し合うつもりで目標に向かって進みましょう。

（4）決定されたことは確実に守る

決まったことを守ることにより、互いに信頼感が生まれます。

3 新人や後輩へのアドバイス

❶ 自分自身の経験を活かす

　学校生活での部活動やサークル活動で、先輩や仲間からのアドバイスを受けたり、情報をもらったりすることで、急にうまくできたり強くなったという経験はありませんか。また、アルバイトでは、先輩から社会のルールを教わったり、先輩の一言でやる気が出たりした経験はありませんか。

　入社後何年かすると、同じ部署の新人や後輩に、仕事のやり方を指示する立場になります。そのようなとき、自分自身が新人や後輩の立場だったころを思い出しましょう。うれしかった先輩の言葉や役に立った一言、また、先輩や上司の成功談、失敗談を聞くことが、知識や貴重なアドバイスになったはずです。後輩や新人にも先輩や上司がしてくれたように自分自身の経験を伝えていきましょう。

❷ 新人や後輩と向き合うことからはじめる

（1）後輩の考え方や行動の仕方を知る

　相手の考え方や行動の仕方を知ることが大切です。性格が外向的か内向的か、行動が能動的か受動的か、などを確かめてみましょう。

（2）相手の行動に関心をもつ

　相手が今どういう問題をかかえているかを察することができるように、常に相手に関心をもち、意識して自分から声をかけ、相手から気軽に相談をもちかけてくるような雰囲気をつくります。

▶頑張って結果を出したとき、ほめ言葉、ねぎらいの言葉、感謝の言葉がうれしく感じられた経験を思い出すとよいでしょう。

❸ 直接指導と間接指導

（1） 実務の基本は直接指導

口で言うだけでなく、まず、自らが行動で示して相手に理解してもらうことが基本です。相手が一人でできるようになったら、きちんとほめます。

（2） 上司の指示やアドバイスをわかりやすく伝える

自分の上司と後輩の間に立って、橋渡しの役割をするときは、相手の立場で考え、新人でもわかるように、上司からの指示内容を別の言葉に置き換えて伝えるなど工夫します。

（3） 体験談を交えて話す

自分が何を感じ、どう対応したか、体験談を交えることで、現実的なアドバイスとして受け止めることができます。

❹ 新人や後輩が主体的に取り組むには

新人や後輩が自分の成長を実感できるようにサポートすることも、先輩の役割です。一方的に押しつけるのではなく、自らの目標として「○年後のあるべき姿」を考えてもらい、具体的な行動計画に落とし込むことが大切です。納得したうえで目標を設定すれば、新人や後輩も積極的に取り組めるようになります。

❺ 後輩指導に必要なこと

後輩を指導するためには、教える内容について、自分自身が十分に理解し、自信をもって説明できることが大切です。相手の理解度に合わせ、難しいことを簡単な言葉や事例に置き換えて伝えるために、自分の伝え方や話し方のレベルを向上させなくてはなりません。

▶新入社員の場合の目標例
・1年間の目標
　仕事の基本を身につけ、主体的に取り組めるようになること
・4月～6月の目標
　職場ルールの理解と正しい電話応対
・7月～9月の目標
　仕事の指示に対する迅速・的確な報告
・10月～12月の目標
　取引先、顧客への適切な対応
・1月～3月の目標
　取引先、顧客との信頼関係の構築

▶仕事を通して教えるときの基本
　何を（内容）、何のために（目的）、いつまでに（期限）、どのように行うか（方法）を明確にします。

▶後輩指導のコツ
　何のためにやっているのか、目的を説明します。全体像を提示したうえで部分に入っていくと、理解しやすくなります。

▶後輩指導のためにあらためて仕事を振り返ることで、実務の理解度を見直すことができ、自分自身を成長させる機会ともなります。

第1編

7

4 人のネットワーク

❶ 情報社会への対応

　情報社会では、情報伝達のスピードが早まり、大量の情報が目の前を通り過ぎるため、知識の鮮度はどんどん落ちていきます。情報に振り回されたり、さまざまな疑問にぶつかることもたくさんあります。こんなとき、「あの人に聞けばわかる」という人脈をもっていれば、解決の糸口を見つけることができます。

❷ 出会いからネットワークが生まれる

　どのような人脈をもっているかが、ビジネス活動を展開する際や、キャリア形成のうえで重要です。社外のネットワークづくりでは、出会いのきっかけをつくることが大切です。

図表 7 － 1　人脈を広げる関係

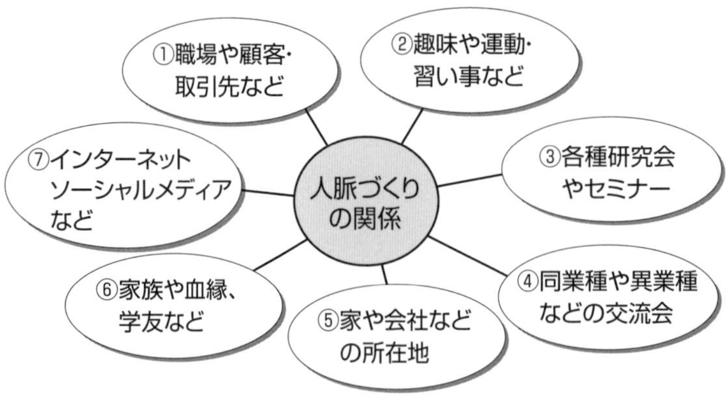

▶人のネットワークは就職活動における会社情報の収集や就職後の活動への活用、異業種交流など、幅広い知識の習得に役立ちます。

▶社外の人とのコミュニケーションのポイントはつぎのとおりです。

①**節度ある態度**
　相手がお客さまであってもへつらいすぎないようにします。また、協力会社であっても、横柄な態度やぞんざいな言葉づかいはしてはなりません。

②**印象を高める**
　あいさつ、会話、マナーなど、会社の一員としてふさわしい言動を心がけます。

③**相手の立場に立つ**
　自己中心的な言動は避け、相手の立場に立ったコミュニケーションを心がけます。

④**感情の排除**
　常に冷静で、適切な判断力をもちます。

❸ 人脈づくりのコツ

　人脈は、社会と積極的にかかわることでつくられます。ここで注意することは、相手を利用するのでなく、相互の信頼関係を築くということです。

図表７−２　人脈づくりの条件

　人脈を広げ、信頼関係を維持するためのポイントはつぎのとおりです。

① 　情報（利益）は先に自分のほうから与える。
② 　好意の押し売りをしない。
③ 　見返りを求めない。
④ 　相手を肯定的に見る。
⑤ 　相手の能力と人間性を適切に評価する。
⑥ 　どんなに小さな約束でも必ず守る。
⑦ 　すみやかな返答（クイックレスポンス）を心がける。
⑧ 　他人の悪口やうわさ話を慎む。
⑨ 　相手のプライバシーや会社の秘密を守る。
⑩ 　相手に応じてつき合いの度合いに注意する。

❹ 紹介でネットワークを広げる

　人脈によって、さらなる人脈の輪を広げることが紹介です。紹介を依頼する場合は、紹介者に決して迷惑をかけないようにします。

　そのためのポイントはつぎのとおりです。

① 　紹介を依頼する場合は、その目的と理由を説明する。
② 　紹介の方法、日時は、紹介者に任せる。
③ 　紹介された人との面会では、時間の厳守とマナーを心がける。
④ 　面会後は紹介者に面会の状況を報告し、丁寧にお礼を述べる。

▶人の紹介の仕方
○直接紹介するとき
・目下の人を先に、目上の人へ紹介します。
・自社の人を先に、他社の人へ紹介します。
・年少者を先に、目上の人へ紹介します。
※年齢と役職の条件が重なった場合（40歳の社長と50歳の課長など）は、役職を優先させます。

第1編

7

第1編　ビジネスとコミュニケーションの基本

確 認 問 題

（1）ダイバーシティに関する記述の正誤の組み合わせとして、適切なものを選択肢から選べ。

①老舗の和菓子メーカーが海外のA国進出のため、A国出身者を採用して同国の取引先との調整を担当させ、日本人社員との会議ではA国の言語が堪能な社員を同席させるようにした。

②自動車販売会社が女性のお客さまへの販売を強化するために女性を採用して、男性のお客さまへの営業を減らすように社員の業務を見直した。

③電子部品メーカーが検査室を改修しバリアフリー化して、検査工程で働く障がい者の雇用を増やした。

【選択肢】

	①	②	③
ア．	正	誤	正
イ．	誤	正	誤
ウ．	誤	誤	正

第1章1　私たちを取り巻くビジネス環境［令和3年度後期問題問2（2）］

（2）社内でのビジネス会話に関する記述の正誤の組み合わせとして、適切なものを選択肢から選べ。

①売上減少の原因を上司に報告する際、データの分析に自信があったため、結論を最後にして分析した内容を最初に詳しく報告した。

②会議の終わりに、「鈴木主任が、本日15時までに、修正した資料を電子メールで送付する」という今後の流れを全員で再確認した。

③年長者や職位が上の人と話す際は、「おっしゃられた」や「お会いになられた」のように過剰な敬語とならないように注意する。

④他部署の社員が上司に用件を伝えに来たが会議で不在であったため、「課長の加藤は会議で席を外しております」と応対した。

【選択肢】

	①	②	③	④
ア．	誤	誤	誤	正
イ．	正	正	誤	誤
ウ．	誤	正	正	誤
エ．	正	誤	正	正

第3章1　ビジネス会話の基本［令和元年度後期問題問2（2）］

（3）お客さまとの関係づくりの取り組みについて、最も適切なものを選択肢から選べ。

【選択肢】

ア．得意客を増やすためには、次回購入時にポイント分を値引きするポイントカードの発行など、来店頻度が上がる動機につながる仕組みを導入するとよい。

イ．これまでの累積購入金額が多いお客さまには、購入履歴にない分野の新商品に絞って情報を提供する。

ウ．初めて来店されたお客さまをリピーターにするためには、近隣へのチラシ配布、最寄り駅のポスター掲出など自社の商品やサービスを広く訴求する必要がある。

第4章3 お客さまを獲得するには［令和4年度前期問題問2（3）］

（4）あるリフォーム店のクレーム対応についての社内体制が下図のような場合、クレーム対応に関する記述について、適切なものを選択肢から選べ。

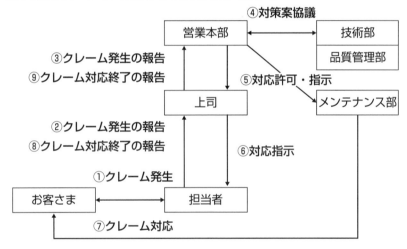

【選択肢】

ア．お客さまが非常にお怒りのため早急に対策方法を連絡したいが、④の対策案も決まっていない段階では正確な情報が伝えられないため、まずはお客さまへお詫びをして、お時間をいただきたいと伝えた。

イ．お客さまが対応を非常に急いでいたので、会社側の都合よりもお客さまを優先するため、⑤の対応許可がでる前に、④の対策案を技術部から聞き、メンテナンス部に対応をしてもらった。

ウ．担当者が⑦のクレーム対応終了後に、反省事項などを記録にまとめて技術部、品質管理部に直接報告し、さらに、今後同様のクレームが生じないように全社で取り組むため、技術部、品質管理部に再発防止策の策定を依頼した。

第5章3 クレームの再発防止［平成30年度後期試験 問2（5）］

（5）次の会議のあり方に関する記述として、<u>不適切なもの</u>を選択肢から選べ。

【選択肢】

ア．会議では、複数の人間が話し合うことによって、異なった視点や意見を知ることができ、自分の視野を広げられるとの意識をもって参加する。

イ．会議の場では、他の人の発言を尊重することを心がけ、自分と異なる意見が出た場合は、会議の雰囲気を壊さぬように、自分の意見の発言をなるべく差し控える。

ウ．自分の意見を述べる場合は、自分の考えを前もって整理しておいて、短時間に的確に発言するようにする。

第6章1 会議の基本的な流れ［平成27年度後期試験 問2（3）］

（6）チームで仕事を進めるときの留意点に関する記述の正誤の組み合わせとして、適切なものを選択肢から選べ。

①チームの目標を各メンバーが理解することで、各自がその目標に向かって自律的に行動することができる。

②チームの目標を達成するために、一人ひとりのメンバーが自ら定めたルールに従って、自主的に行動する。

③メンバー間の信頼は非常に大切であり、各自の好き嫌いの感情を尊重し、好感を持たれるように笑顔を忘れないようにする。

④自分の役割を果たすことが最優先であり、他の人の仕事に関心を寄せたり、他の人と意見交換するよりも、自分に与えられた仕事だけに集中すべきである。

【選択肢】

	①	②	③	④
ア．	正	誤	誤	正
イ．	誤	誤	正	正
ウ．	正	誤	誤	誤
エ．	正	正	正	誤

第7章1 チームワークの意義と重要性［令和4年度前期問題問2（5）］

【解答】（1）ア　（2）ウ　（3）ア　（4）ア　（5）イ　（6）ウ

第2編

仕事の実践とビジネスツール

第2編の内容

　ビジネスでは、社会的な役割を認識し責任のある企業活動を行うことが重要です。それを実現するためには、個人が自らの仕事をしっかりやり遂げることが出発点になります。仕事の本質を理解し、働くうえで必要な実践知識を確実に身につけましょう。具体的には仕事の進め方、ビジネス文書の基本、統計・データの扱い方、情報収集・メディアの活用、ビジネスに役立つ知識を学びます。

1 情報社会での仕事の特徴

❶ 環境の変化に対する企業の対応

　コンピュータが普及した現在では、仕事のツールにパソコンは欠かせません。そして、距離や時間に関係なく取引が行われるようになると、社会の動きもますます速くなってきます。

　会社が健全な発展を永続させるためには、少子高齢化・地球温暖化などの社会環境や経済環境・国際環境などの変化に気づき、すばやく対応することがいっそう重要になります。

　これらの変化に対応するため、仕事の内容も変化していき、会社は部門や職種という境界や枠組みを超え、取引先や関連先をも含めた業務提携なども始まっています。

図表1－1　環境対応の例

グローバル化	海外企業との競争　多国籍企業化 国際的基準や海外動向への対応
情報社会化	情報ネットワークの活用による事業の拡大 プロセスの変化 スピードアップとシームレス化、およびそれに対応する 組織構造の変革
サービス経済化	消費構造におけるモノからサービスへのシフト サービス品質の向上
事業の再編成	成長分野への集中、新規事業への進出 不採算部門の集約・撤退 リストラクチャリング
企業系列の変化	再編成・合併・分社化など
社会的責任	法的責任………法律、条例の順守 経済的責任……有用な商品・サービスの提供など 倫理的責任……倫理的行動規範の策定など 社会貢献………地域社会への貢献など 国際的指針……SDGsへの取り組み

▶シームレス（Seamless）
利用する人が、複数の機能をあたかも同じ機能であるかのように違和感なく利用できることをいいます。たとえば、買い物や食事の支払いにも使えるICカード乗車券があります。シームレスなサービスは、多数のサービスや機能などを最小限の手間で活用できるようになるため、ユーザー側にとっては非常に有益なものであるといえます。

▶リストラクチャリング
企業の事業を再構築することです。不採算部門から撤退して成長部門に経営資源を集中する、膨張した経営組織を統合・簡略化することなどにより収益性の向上を図ることをいいます。

❷ インターネットを活用した仕事の特徴

（1）距離や時間に関係なく情報がやりとりされる

グループウェアやＥメールなどが重要な通信手段となり、社内での指示と報告、社外のお客さまとのやりとりが、時間や双方の距離に関係なく行われるようになっています。

（2）作業の管理が二極化する

単純な業務のほとんどは、コンピュータを使った情報ネットワーク上で処理されます。一方で、企画、検討作業、対人折衝など、人間の判断を必要とする仕事は、ますます重要になってきます。

（3）集積した情報が資産として活用される

インターネットを介して集められた、世界中のさまざまな情報が、コンピュータに蓄積され、社内の資産として活用されます。

（4）インターネットを介した取引

ホームページが営業窓口の一部となり、自社の商品やサービスの紹介、Ｅメールによる問い合わせ対応が行われます。電話や来社での対応に代わり、インターネットを介した取引が一般的になっています。

（5）情報の管理が重要となる

欲しい情報が容易に入手できる反面、社内の情報も簡単にコピーしたり、もち出すことが可能です。そのため、情報の管理がたいへん重要となります。

（6）コミュニケーションの重要性が増す

ネットワークで結ぶことで在宅勤務が可能となり、出勤する時間が省けるという利点がありますが、反面、業務管理やコミュニケーションに関する対策が非常に重要になります。

▶ICT の普及により、消費者に対するモノやサービスの提供方法も変わってきました。例えば、ネットショップや自社のホームページから消費者に商品を提供できるようになりました。また、動画・音楽・本などのコンテンツはインターネットからダウンロードすることで、消費者が直接入手できるようになりました。

▶お客さまの問い合せの手段として、Ｅメール以外にチャット、LINE、AI による自動応答（チャットボット）なども普及してきました。

2 情報社会での情報活用

❶ コンピュータやソフトの活用

　日常のデータ集計や企画業務に、コンピュータの活用は欠かせません。統計やデータを単に収集・集計するだけでなく、さらにレベルの高い資料を作り、状況判断に活用することが可能になります。また、コンピュータに蓄積した膨大な情報を、再構築することで、新たな結論や仮説の糸口をつかむこともできます。

　文書ソフト、表計算ソフト、プレゼンテーションソフトなどは各自がそのソフトを使いこなし、それぞれの業務の中で報告や検討に活用される時代となりました。

　最近では、ペーパーレス化の流れの中で、取扱説明書が電子データに切り替わり、パソコンを見ながらの商談や、画像や動画を活用した視覚的なプレゼンテーションも一般化しています。さらにスマートフォンやタブレットを活用して移動中でもメールのチェックや、日報の作成などの業務が可能となりました。一方、非定型業務の重要性も増してきています。

　コンピュータは、集計や計量的な重みづけはできますが、コンピュータが作成した表から、いちばん大切な要素を抜き出し、行動の指針まで具体化するのは担当者本人の力です。人間にしかできない能力、柔軟な判断力や創造力が、ますます重要になっています。

▶**非定型業務**
　前例がなかったり、ケースごとに担当者が判断をしなければならない業務をいいます。

❷ 情報の共有化

　日常業務で、コンピュータを利用することで、今まで個人が保有していた情報をグループで共有しやすくなりました。書式を定

型化して、必要な情報を記入すると、たとえば「営業日誌」では、つぎのようなことが可能です。

① 担当者の案件を関係者全員が即時に閲覧できる。 ② 報告内容から、作業全体の進捗状況が把握できる。 ③ 得意先別や地域別の状況を共有できる。 ④ 成功事例や失敗事例の収集により、ノウハウを共有できる。

定型化された顧客情報が蓄積され、共有化されると、たとえば、部署の異動があった場合も、スムーズな対応が可能となります。

グループウェアは、もっとも身近な社内での情報共有化のツールです。メールの作成・発信、掲示板の作成、スケジュール管理、ファイル管理、ワークフロー管理などに活用でき、報告・連絡・相談の業務を迅速かつ容易に行えます。また、「〜についての情報がほしい」と掲示板に告知すれば、社内の他部署の人からも情報が発信されます。

❸ 社内データベースの活用

社内のネットワークを利用して情報収集・活用するには、グループウェアを使う方法のほかに、データベースを活用する方法があります。データベースの構築方法は会社によって異なっています。

図表1－2　社内データベースの特徴

長　所	短　所
① 分類が明確であり、必要な情報にアクセスしやすい。	① データや情報の更新や管理ができていないと、判断を誤る。
② 業務に直接関連した情報が得やすい。	② 情報量が膨大になると、必要な情報をすぐに取り出せない。
③ 最新のデータや情報が入手できる。	③ 管理の最終的な責任者を決めておく必要がある。
④ 目的に合わせて加工された情報も得られる。	④ 細かく活用する技量に個人差が出る。
⑤ 自社で収集した一次データも保管されている。	⑤ あまり必要がない情報も蓄積する傾向がある。

▶グループウェア
組織内のコンピュータを利用して、複数の人が情報を共有して仕事を進めることができるソフトウェアです。

▶ワークフロー管理
会社の定型化業務の流れを体系化し、コンピュータ上で実行・管理をすること、または、その情報システムのことです。

▶データベースに関しては、社内でフォーマットや権限が決まっているので、まず、どの情報がどの場所に収納されており、どのデータにアクセスできるのかを知ることが必要です。

3 情報セキュリティの管理

❶ 情報漏えいに注意

　会社は、日々の活動の中で、さまざまな情報を取り扱っています。また、会社はさまざまな新商品や新サービスを開発しますが、開発中の内容は外部に漏らしてはいけません。仕入先や販売先、顧客に関する情報も、非常に機密性の高い情報です。会社に属し、社員である以上、会社に利益をもたらす行動をすることは当然のことです。そのため、会社の機密情報の扱いには、十分に注意する必要があります。

（1）守秘義務を守る

　会社には、お客さまの個人情報や社外秘の情報など、外部への公表には適さない情報があります。業務上の取り扱いはもちろん、取り扱い後にも十分な管理と守秘の意識が必要です。

（2）会社の情報は大切な資源

　会社はそれぞれ、独自の情報をもっており、会社の存続にかかわる情報も少なくありません。商品、研究開発、技術、顧客、従業員の情報など、さまざまです。日ごろ接している情報は、一つひとつが会社を形成する大切な資源であることを意識して取り扱う必要があります。

（3）データのコピーが漏えいにつながる

　現在は、いつでも、どこでも、どんな量のデータでも、即座にコピーすることができます。機密情報をはじめとする取り扱い情

▶プライバシーマーク（顧客情報や社員情報などの個人情報を適切に管理する企業を認証する制度）の認証を受ける企業が増えてきています。

▶コンパクトで大容量のデータを保存できるフラッシュメモリー（電気的に消去・書き換えが可能な記憶装置）は、紛失・盗難に対応するためパスワードを設定することで、暗号化するセキュリティ機能が付いたものも開発されています。なお、データのもち出しをすべて禁止しているところもあります。

▶技術的対策の例として、以下のことが挙げられます。
①個人のパスワードやユーザーIDの設定
②移送時におけるファイルの暗号化
③記憶媒体の廃棄時の、データの消去
④ウイルス対策

報の漏えいには、つねに注意する必要があります。

（4）漏えいの原因

　新聞・ニュースで情報の漏えい事件が報道されることがありますが、漏えいの原因は、取扱いミスや紛失などの不注意と、故意によるもち出しなど、人為的なものが多数を占めます。日常、当然のことと考えている行動に漏えいの危険はないか、自ら意識することが大切です。

❷ 情報セキュリティ意識の向上

　情報セキュリティ意識が乏しいことで、会社が損害を受けるだけでなく、お客さまに損害を与えてしまうこともあります。会社としての危機管理体制の構築とともに、社員各自の意識の向上が非常に大切な要件となります。

（1）入退室管理

　社員証の提示や管理記録を用いて社員および来客の入退室をチェックし、施錠管理を徹底して、部外者の入室制限を行います。

（2）ＰＣの管理

　パスワード付スクリーンセーバーを設定し、長時間席を離れるときはＰＣにロックを掛けます。また、許可されたアプリケーションのみインストールできるようにします。アクセス管理という適切な権限をもつ者だけがPCにアクセスする権利をもつようにした管理方法もあります。

（3）不正ソフトウェア対策

　ウィルス対策ソフトは必ずインストールし、Windows Updateなどのセキュリティパッチは自動更新状態に設定します。

▶**セキュリティソフト**
インターネット上のさまざまな危険を検知し防止するソフト。ウイルス検出の他、不正な通信を遮断するファイアーウォール、有害サイトの警告、迷惑メール検出などの機能を備えています。

▶**情報のもち出し**
会社のＰＣや機密資料などを外部にもち出すときは、必ず許可を得ます。

▶**携帯電話・スマートフォンの管理**
私有の携帯電話やスマートフォンはできるだけ業務には使わず、万一紛失したときの対策として、リモートロックや暗証番号によるロックを施します。

▶**情報のもち出しや携帯電話・スマートフォンを管理することも情報セキュリティ意識の向上には必要なことです。**

▶**テレワークでの情報セキュリティ**
会社が定めたPCやソフトウェアの使用法の順守、のぞき見防止フィルターなどの使用、持ち帰った会社の書類の施錠保管、など一段と注意が必要です。

4 マネジメントの基本は PDCAサイクル

❶ 仕事をマネジメントするには

　仕事のマネジメントでは、目標意識、時間意識、改善意識が重要になってきます。仕事を行うには、目標の設定が欠かせません（目標意識）。また、「成り行き」でなく、目標を設定してスケジュールを組み、迅速な仕事と時間の有効活用を目指します（時間意識）。さらに、仕事はそのつど見直しを行い、作業のムリ・ムダ・ムラを取り除きます（改善意識）。

▶仕事を効率よく進めるためには、自分の行動を自分で管理することが大切です。

❷ PDCAサイクル

図表1－3　仕事のサイクル

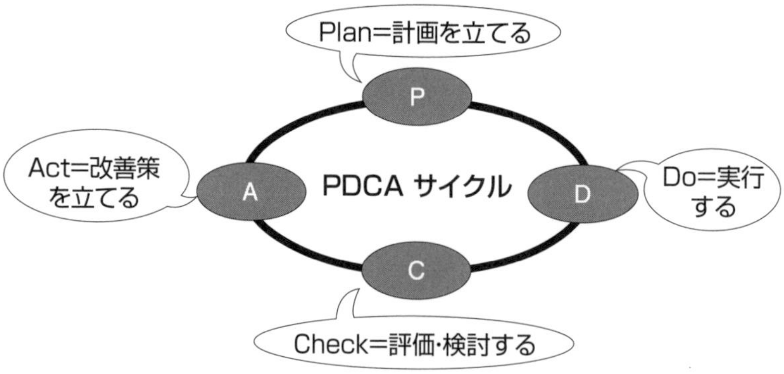

▶一つひとつの仕事は上司の指示に始まり、PDCAサイクルに沿って進められ、上司に報告して終了します。

（P）Plan　　：仕事のスケジュール、計画を立てます。
（D）Do　　　：スケジュールに沿って実行します。
（C）Check　：計画と実行の差異を評価・検討します。
（A）Act　　　：さらに実行するために、改善策を立てます。
　仕事はPDCAサイクルに沿って進めます。PDCAサイクルを

実施することで、マネジメントは効果を上げ、事業は目指す方向へ進んでいきます。

❸ ＰＤＣＡサイクルによる仕事の進め方

（１）Plan：目標達成のための計画づくり

・ 与えられた仕事の全体を把握し、ヒト、モノ、カネ、情報の資源の状態を確認します。

・ 完成までに必要な時間、納期、実施するための計画などを検討します。

・ 社内外の環境や状況を把握し、役割分担と責任範囲を決めます。

・ 仕事全体を構造的に把握し、必要な部門、人員を決定し、組織全体で仕事に対処できるように協力体制をつくります。

・ 開発に必要な費用全般や完成後に及ぼす効果、利益を算出します。

（２）Do：実行

・計画に沿って実行します。

・全体計画と部分計画を念頭に置き、各々の責任分担を明確にします。部門間の情報を密にし、責任をもって進行を管理します。

（３）Check：評価・検討

・仕事が終わるごとに報告を行うように定め、常に確認します。

・計画と実行の差異を評価します。評価は数値的に判断ができるようにします（定量的評価）。

（４）Act：改善策

・実行してきた仕事を見直し、さらに効率的な方法を見つけ、今後、同様の仕事を行うときのために改善策を立てます。

・仕事の進め方全体を見直し、さまざまな仕事を行うときのためのヒントをつかみます。

▶ 仕事は、特に、「Check」の部分でよりよく変えられていくべきものです。計画と実際の照合のために、上司をはじめとするさまざまな人からのフィードバックやモニタリングなどがなされます。

5　目標から計画へ

❶ 全体目標・部門目標・個人目標

　目標は、「こうしたい、こうあるべきだという達成希望」を表すものです。目標を見ることで、自分の組織が何を目指して活動しているのか、明確になります。組織の全体目標については、1年間の目標だけでなく、3年間、5年間の目標までを理解しておくと、目指すべき方向がより鮮明になります。

　一般に、経営方針または事業目標・組織目標などから、部門や個人が達成すべき目標が設定されていきます。

（1）全体目標

　過去から現在における会社の歩んできた状況を分析し、組織として、現在から将来に向かって進むべき方向を示します。

（2）部門目標

　全体目標が設定されると、その目標に到達するために、各部門が達成すべき目標が定まります。全体目標に比べ、部門目標は具体的数値に落とし込まれるケースが多いです。

（3）個人目標

　部門目標に向かって事業を推進するために、個人目標を設定します。個人としてのキャリアアップを考えたり、こうなりたいという将来像や希望などから、今やるべき目標が導き出されます。

　全体目標、部門目標、個人目標のベクトルを合わせながら、目標の整合性をとっていきます。

▶キャリアアップ
今より高い資格・能力・技術を身につけること、または、経歴を高めることです。

❷ 目標を細分化する

長期的な目標から短期的な目標へと、段階的に具体化します。

1年間の目標を大きな目標とします。期間と内容を細分化し、短期目標は、具体的で達成可能な、小さな目標にします。

目標に到達するために、半年で何を達成したらよいか、3か月で何ができたらよいのか、そのために1か月で何をしたらよいかというように、項目・達成基準を細分化し、計画を立てていきます。

❸ 目標の3要素

目標には要素が3つあります。目標項目として「何を」、目標期限として「いつまでに」、目標水準として「どのレベルに」の3要素がそろって、はじめて目標といえます。

図表1－4　目標の3要素

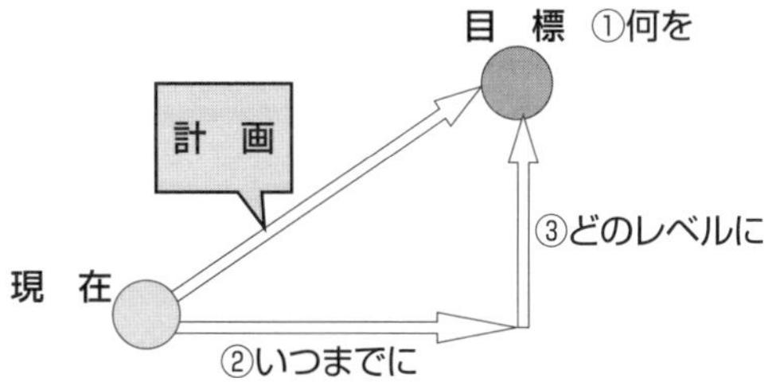

①何を…………………目標の内容（目標項目）
②いつまでに………目標を達成する期限（目標期限）
③どのレベルに……目標期限に到達している水準（目標水準）

❹ 将来を予測しながら目標を立てる

計画を立てるには、自分の持ち場の視点から、できるだけ将来を見る努力をします。個別の計画は全体計画から割り出されていくとはいえ、現場でしか見えないものは予想以上に多いものです。

現場の目をいかに目標に盛り込むことができるかが、実現性の高い計画を立案するポイントです。

6 計画の重要性

❶ 計画は目標達成に至る最適のルート

　目標が明確になったら、実現するための方法をさまざまな角度から検討します。目標達成の方法は、必ずしも1つではありません。同じ目標を達成するにも、できるだけ手をかけずに、速く効率よく実現できる最良の段取り（手順や方法）がよいとされます。計画とは、「目標達成に至る最適のルート」を示すものです。事前の計画なしに仕事を進めると、仕事の進行状態や達成度が測定できません。計画を立てることは重要な仕事であり、しっかりとした計画が求められます。

❷ 優先順位と段取りの確認

　仕事に優先順位をつけるとは、「何から先にとりかかるべきか」を決めることです。これを誤ると、取り返しのつかないトラブルにまで発展する危険があります。

　優先順位は「重要度」および「緊急度」などから見出すことができます。目標を達成するための根本となる業務や、代替の利かないものは、「重要度」が高くなります。特定のタイミングですばやく実施しなければならないこと、人の安全にかかわる事故、お客さまからのクレームや、製品の欠陥・不良につながることなど、時間的な制約がある業務は、「緊急度」が高くなります。

　取りかかるべき仕事が決まったら、その仕事を成し遂げるのに一番よい段取りを考えます。ある業務を実行するために、前もって必要となることは何か、実行された後に行うべき工程は何か、

▶優先順位
　主として、互いに関連の薄い多種の業務について、どれを先にすべきか、どれを後まわしにしてもよいか、という順番のことです。

▶段取り
　主として、一連のあるいは相互に関連した業務について、どれから先に取りかかり、次いでどれを行うかという判断のことです。

準備はできているか、などを確認していきます。つまり、段取り
こそが仕事をスムーズに進める大きな要素です。各業務の前後関
係などを整理し、どの業務をどのような方法と順番で進めればよ
いのか、を判断します。

　計画を遂行するうえでは、予想できる障害、予想できない障害
が常に発生するものです。少なくとも予想できる障害への対策は、
事前に立てておきます。また、想定外となるような事態を起こさ
せない準備もしておきます。

❸ 業務の明確化と投入資源の見積もり

　段取りをつけた内容を計画として具体化するためには、個々の
業務を実行するためにかかる工数や時間、ヒト・モノ・カネなど
の投入資源を見積もる必要があります。どれだけ業務を明確にし、
その遂行方法を見出すかが、計画立案の核となります。

　業務の明確化と投入資源の見積もりを正確に行うためには、
個々の仕事の行動単位まで検討する必要があります。

❹ 時間軸から見た計画の検討

　「納期」や「締め切り」を意識して、優先順位、段取り、投入
資源などを考慮しながら、ムリのない計画を組む必要があります。
また、実績との比較ができるようにします。

　全社計画もしくは部門計画として枠組みが決まっている場合
は、その制約を基本に計画を組み立てます。

❺ 予算面から見た計画の検討

　どのような仕事でも、予算は決められています。計画立案から
実行、達成度の確認などすべての段階において、常に予算管理に
気を配り、実績との比較ができるようにします。

▶投入資源から見た計
画の検討
　計画の段階で、ヒト、
モノ、カネなど使用
できる資源を検討し
ます。担当者は誰か、
何人で行うのか、ど
のような材料を使用
するのか、どこから
調達するかなどを検
討して計画に組み込
みます。

7 スケジュール化の方法

❶ スケジュール化

　スケジュールとは計画を時間の流れに沿って展開したもので、これにより事前に仕事の問題点が発見できたり、効率のよい行動をとることができます。同時進行する複数の業務を照らし合わせたうえで、個々の業務の時間を配分する必要があります。

　スケジュールを個々の業務に具体化することが、計画全体の成否を左右します。

❷ ツールとしての各種図表

　スケジュール化にあたり、複雑な要素をわかりやすく表現したり、スケジュールの問題点を把握するには、図表が有効です。

（1）ガント・チャート

　時間を横軸に、作業要素を縦軸にとり、各要素にかかる時間の長さと、各要素の時間的なつながりを図示したものです。工程管理や納期管理などに適しています。

　計画策定の段階では、業務プロセスの全体像を把握し、たとえば、「予定日程」を細線で記入します。ここで作業期日の重複や進行過程の全体のバランスを確認します。

　実施の段階では、たとえば、予定日程（細線）の下に「実施済み（＝実績)」を太線で記入します。予定と実績を比較して、進捗状況のチェックを行い、日程を管理します。

▶ガント・チャートは、単純・明快な棒線で日程を表したものです。工場などの生産活動の日程管理に用いられます。

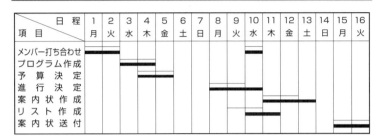

図表1-5　ガント・チャートの例（展示会開催）

（2） PERT図（ネットワーク図）

必要な作業の前後関係と流れを矢印などで関連づけ、作業工程と作業日数を図式化したものです。

並行して行う作業がある場合に、ある工程が終了しないとつぎの工程に進めないなど、全体日数を決定する必要があるときに利用します。

複雑な工程管理に適し、全体の作業完了まで最短で何日かかるかがわかります。作業が遅延した場合は、それによって、全体の作業完成日を予想できます。

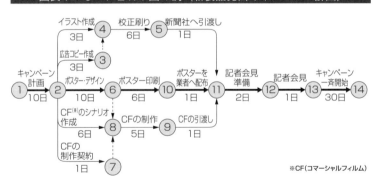

図表1-6　PERT図の例（新製品売出キャンペーン計画）

※CF(コマーシャルフィルム)

❸ スケジュールはできるだけ単純な要素に分ける

スケジュール化では、作業の要素をできるだけ単純な要素に分化します。実現に工夫が必要な部分、相手の説得を要する部分、要求水準が高い部分、新たな企画で注意を要する部分など、重要な要素を浮かび上がらせる工夫が要求されます。

▶PERT
Program Evaluation and Review Technique の略です。工程管理手法の1つです。

▶PERT図は、船の建造の注文生産や、新製品開発、システム開発などの大規模なプロジェクトに用いられます。

1　議事録作成の基本

❶ 議事録の記載事項

　議事録は、会議での討議内容や経過、決定した内容を記録して、上司や参加者が結果を確認し、資料として保存するために作成するものです。作成者はつぎの内容に注意して記録をとります。

①　会議の名称、出席者名、開催日時、場所などの必要事項
②　議題
③　決定事項と討議の内容
④　決定できなかった事項、あるいは保留事項
⑤　決定事項に関する各出席者の分担と次回までの行動目標
⑥　配付資料
⑦　次回開催の日時と、開催時の注意事項

　討議の内容は、要旨をまとめて簡潔に記録します。決定事項に関する内容は重要なことですから、結論に至った理由や根拠もきちんと記録します。質疑応答があった場合には、要約を記録します。保留事項があればその旨を記します。

▶議事録には、出席者、関係者への決定事項の確認・報告や欠席者への情報の周知という目的もあります。

▶発言の要旨をまとめるうえで、間違いをなくすためにも、ボイスレコーダーなどを活用することも有効です。

❷ 作成者の心がまえ

　議事録は、会社の公式な記録として残るものです。そのため、作成者はつぎのことを心にとめておきましょう。

①　自分の主観を排除し、客観的な立場を保つ。
②　正確に記録する。
③　わかりやすい表現を心がける。

　個人的に支持したい意見を詳しく書いたり、自分が賛成できない意見を除外するなどは、決してしないようにします。

　それぞれの意見に対しては客観的な立場を守り、結論を左右する重要な意見ばかりではなく、反対意見や少数意見も記録にとどめる配慮が必要です。

　また、正確さも議事録作成の重要事項です。誰が何を発言したかに注意したり、数字や意味の取り違いには特に注意します。会社や部門によっては専門用語や独特の言い回しが使われることもありますから、事前に理解しておくことが必要です。もし理解が不十分な言葉があった場合は、会議終了後に必ず確認しましょう。

図表2－1　議事録の例

定例会議議事録　　　　　　　　　　　○○年　6月　3日作成

（作成者）生産企画課　清水一郎

1．開催日時　○○年6月1日　午後1時00分～午後3時30分

2．開催場所　本社第1会議室

3．出席者　　富沢経理部長、井上人事部長、竹内工務部長
　　　　　　　山本製造部長、小林生産管理部長
　　　　　　　松田資材課長、坂本生産企画課長、生産企画課　清水　以上8名
　　　　　　　（司会　竹内工務部長　　記録者　清水）

4．議題　本社工場の省力化を図る自動組み立て機導入計画の審議
　　①A社製とB社製のどちらを選ぶか。
　　②導入時期はいつにするか。
　　その他

5．結論と経過
　　①A社製とB社製の機械の特徴について
　　・提案説明（松田資材課長）それぞれ一長一短があることを説明する。
　　・質疑内容（富沢経理部長）メンテナンスやアフターケアはどうなのか。
　　　　　　　（山本製造部長）設置場所はどこが適当なのか。
　　・討議内容
　　　1）A社製とB社製を比べると、機械の性能はほとんど同じなので、メンテナンスやアフターケアで信頼できるA社を選ぶ意見が強かった。
　　　2）設置場所は、本社工場の南側にする意見が多かったが、なお検討する。
　　・決定事項
　　　A社が当社の支払い条件を了解した場合は、導入に踏み切る。
　　②導入時期を5か月後にするかどうかについて
　　・討議未了のため次回検討

　………………………………（略）………………………………

6．次回の予定日時：○○年7月1日　午前10時00分～午前11時30分
　　　　　　　　内容：①A社製機械の導入条件の検討と決定
　　　　　　　　　　　②導入時期の検討と決定

7．添付資料
　　①A社製の自動組み立て機の性能についてのデータ資料2枚
　　②A社製の主力製品のメンテナンスとアフターケアの現状一覧表

以上

▶会議時間の長さや内容にもよりますが、議事録は時間を置かず、当日または1～2日で出すのが理想です。

▶決定事項に関して、次回までに参加者各人の行動目標があればそれを記します。

▶会社によっては、議事録の書式を定めていることもあります。あらかじめ記入項目が設定されているので、記入漏れが防げる利点があります。

2 報告書作成の基本

❶ 報告書の意味

　報告書は、「報告」という行為をともなうので、提出期限に遅れたり、内容に誤りや漏れがあるようでは意味がありません。

　報告書の作成は、行動計画のなかに入れておき、報告書を作成する際に必要な情報・データは、メモしておくことが大切です。

❷ 報告書作成のポイント

（1）まずは結論から書く

　ビジネス文書では、結論（ポイント）を伝えるのが最重要です。

　まず、報告相手がもっとも早く知りたい部分である事実・結果を書き、つぎに、それに至るまでの経過・理由・所見を書きます。

（2）文章は簡潔に、要点は箇条書きにする

　長い文章は避け、箇条書きを有効に使って明瞭に記述します。

（3）数字の間違いは絶対にしない

　数字の誤りは、報告にもっとも大事な正確さを損なうことになります。必ず正しく記述します。

（4）事実と意見を区別する

　報告書は、事実を伝えることが基本ですが、意見をともなう場合もあります。その際、事実と意見とは明確に区別して記述するとともに、誇張した表現やあいまいな表現を避けます。

▶報告書の種類
①**定期的な報告書**
　日報・週報・月報といった日常業務や活動について報告する文書
②**そのつど提出する報告書**
　出張報告書・実施報告書・研修報告書など
③**調査報告書**
　会社の施策や方針などを決定するためのデータや情報を報告する文書
　信用調査書・市場調査報告書など
④**事故報告書**
　事故災害報告書、クレーム報告書など

（5）視覚に訴える工夫をする

　図表やグラフを使ったり、文字を太字やアンダーラインで強調するなどで要点をわかりやすくします。また、必要があれば、地図や写真などを添付します。

（6）フォームをつくる

　効率的に作成するため、フォームを作成しておくことも有効です。

図表２－２　報告書の例

令和○○年○月○日

営業本部 本部長
青野貴士 様

営業本部　藤田一樹

展示会「建築建材フェア２０××」についての報告

「建築建材フェア２０××」に参加しましたので、以下のように報告いたします。

記

1. 開催期間　　令和○○年○月○日（月）～○月○日（金）
2. 開催場所　　東京都　○○展示ホール
3. 主催者　　　○○協会
4. 同行者　　　営業1課　北村浩二、石沢祐子、技術部　武田昭弘
5. 報告事項

■全体
・出展社数　65 社
世の中が節電化に進む中で当社と同様、省エネができるエコ機能をもった建材が多数出品されていた。展示会場は連日、満員であった。

■製品説明 PR 結果
新製品○○○の PR ビデオをブース外のテレビ画面に流すことで多くのお客さまが足を止めてくださった。ビデオ終了後にお客さまへ○○○のサンプルを見せての製品説明が多くできた。営業1課の協力もあり当社独自の省エネ技術に評価をいただけた。
当社ブースを訪れたお客さまで名刺をいただいた方は5日間累計で360名だった。

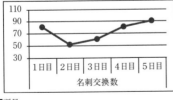 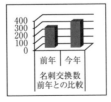

■所見
・昨年の反省を活かしディスプレイを変えた結果、ブースへお客さまを多く誘引できた。結果として昨年を超える名刺を入手することができて良かった。
・1日目に想像以上の来客がありカタログを切らしてしまったことが反省材料である。
・今後の展開として、名刺をいただいたお客さまへお礼を兼ねて訪問して具体的提案をはかっていきたい。

以上

▶受信者は「役職名＋氏名＋様」とするのが一般的です。

▶内容が何であるか、ひと目でわかるような件名（標題）をつけます。

▶意見や感想を所見・所感として項目をたてて、事実と区別して述べます。

3　企画書作成の基本

❶ 企画の意義とプロセス

　問題解決のためにすばらしい考えがあっても、"何をどのようにやるのか"という企画がなければ取り組めません。すぐれた企画とは、単に斬新な発想というだけでなく、「何のために」という明確な方向性をもち、「どのように」という方法があって、実際に行動に移すことができるものでなければなりません。

　新しいアイデアを受け入れられる企画として煮つめていくには、図表2−3に示すプロセスをきちんと踏む必要があります。

図表2−3　企画立案のプロセス

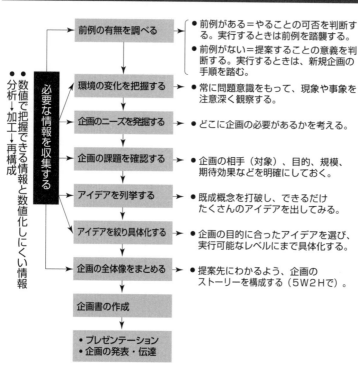

前例の有無を調べる	→	● 前例がある＝やることの可否を判断する。実行するときは前例を踏襲する。 ● 前例がない＝提案することの意義を判断する。実行するときは、新規企画の手順を踏む。
環境の変化を把握する	→	● 常に問題意識をもって、現象や事象を注意深く観察する。
企画のニーズを発掘する	→	● どこに企画の必要があるかを考える。
企画の課題を確認する	→	● 企画の相手（対象）、目的、規模、期待効果などを明確にしておく。
アイデアを列挙する	→	● 既成概念を打破し、できるだけたくさんのアイデアを出してみる。
アイデアを絞り具体化する	→	● 企画の目的に合ったアイデアを選び、実行可能なレベルにまで具体化する。
企画の全体像をまとめる	→	● 提案先にわかるよう、企画のストーリーを構成する（5W2Hで）。

企画書の作成

● プレゼンテーション
● 企画の発表・伝達

必要な情報を収集する

● 数値で把握できる情報と数値化しにくい情報
● 分析→加工→再構成

▶企画書

業務に関する提案をする文書です。新製品の開発・新規事業の立ち上げや販売促進、セミナー・イベント開催などの企画書があります。

❷ 企画書の書き方

企画書には、上司に提出する社内向けのものと、お客さまや外部に提出する社外向けのものとがあります。いずれにしろ、相手が手に取り、しかも最後まで読んでもらうために、論理展開や表現方法などに最大限の工夫を加えることが必要となってきます。

企画書に盛り込まれる内容と構成はさまざまですが、基本的な要素としては、図表２－４のようになります。なお、企画書の目的は、あくまでも企画が実行に移されることであり、そのためにはその企画がどれくらいの期間と経費をともなうものなのかを相手に正しく理解してもらわなくてはなりません。

図表２－４　企画書の例

令和○○年○月○日

管理本部 本部長
石井裕一 様

営業企画室　松嶋賢治

若手営業社員向け社内研修企画書

入社３年以内の営業社員を対象とした社内での研修を下記のとおり企画しました。ご承認くださいますようよろしくお願いいたします。

記

1. 企画意図
本年度の上半期実績は予算に対して売上額が達成率98％、粗利益額の達成率が95％という結果に終わりました。
要因としましては、値引き率が前年度と比較しまして２％上がったことにあります。値引き実績を分析しますと、特に若手社員の値引き率が大きなことがわかりました。
つきましては、値引き率を抑制して通期の目標を達成するために【値引きを抑える営業方法】を若手社員にあらためて学ばせたいと考えます。そのためには製品知識を蓄えることが必須です。そこで今回の研修は当社の製品開発センターにおいて開催したいと考えます。
センターで実際の製品を目で見る、触るなど五感をフルに使い、感じることで製品に対する知識がより深まります。
製品の知識を深めたうえで、ロールプレイングによる営業実技を行います。説得力の増した営業スキルを身につけることを目指します。

2. 実施時期　：令和○○年○月○日（月）～○日（水）（３日間）
3. 会場　：当社　製品開発センター
4. 参加対象者　：入社３年以内の営業社員　15名（詳細別紙）
5. 講師　：製品開発センター長　日下　三郎
営業企画室長　小野　順平
6. 講義内容　：①新発売製品　○○○○○の使用方法及び特徴の説明。
②主力製品　□□□□、△△△VER. ２の性能試験の見学。
③ロールプレイングによる営業実技と営業ポイントの解説と指導。
7. 費用　：社員交通費・宿泊費総額30万円
8. 添付資料　：①研修参加者一覧　②スケジュール表　③研修レジュメ

以上

▶**説得力のある企画書のポイント**

①決定権者（例：社長や上司）を判断し、相手により効果的な表現、説明方法を工夫します。
②相手方のニーズを整理しておきます。企画の提案先からの情報収集によって何を解決してほしいのかをつかみ、その優先順位を整理しておきます。
③企画の背景を事実・データで示します。現状を分析し問題点を明確にして、企画立案の目的を明らかにします。
④相手方のニーズを満たすメリットを明確に打ち出します。
⑤企画のテーマを拡げすぎず「１つのアイデアには１つの企画書」と考えます。
⑥十分な効果が得られるか費用対効果のバランスを相手の立場に立って考えます。
⑦企画の問題点とその対応も明らかにしておきます。

1 統計・データを利用して説得力をつける

❶ 効果的に統計・データを利用する

　会社では、さまざまな資料を使用します。資料は数値をもとにした表やグラフで表され、これにもとづいて業務上の重要事項を決めていきます。言葉や文章だけで作られた資料と比較して、表やグラフを資料に活用することで、迅速かつ正確に会社の決定事項を支援（サポート）できます。これを補うために、統計・データを利用することが効果的なデータ活用となります。

▶統計やデータの分析結果を利用することで、客観的に状況を把握できます。

❷ 統計・データを利用する目的

　統計やデータを分析し、判断する資料として利用する目的は、つぎのようになります。

---

① 事実を正確にとらえる。
② カンや思いこみでなく、数値を利用することで、定量的に判断できる。
③ 数値を介して共通理解を深め、より高く説得力を増すことができる。

　統計資料は、特定のことについて過去あるいは現在の状況を数値などで表現したものです。その数値を分析し、評価を加えることで、事実や状況を正確につかむことができます。

　また、過去の実績と現状を比較しながら分析・評価すれば、将来をある程度は予測することができます。これから進む方向を定めるにあたって、カンや思いこみに頼るのではなく、正確な事実をもとに確実性の高い判断ができます。

▶過去から現在までの傾向を捉えることで、数値をともなった将来の予測が可能となります。

さらに、統計・データは、自分のためだけに使うのではなく、相手を説得するときの強力な武器ともなります。単に文章や言葉だけで表現した資料は、正確さに欠け、わかりにくいこともあります。それを補うために利用するのが統計・データです。統計・データはある事象を数値で表したものです。統計・データを加工・分析することで、見えてくることはたくさんあります。数値は文章や言葉とは違って、目にした人たちすべてが定量的に理解できます。数値で裏づけされた統計・データを利用することで、より相手に対して説得力が増すことになるのです。

第2編
3

❸ 統計・データの活用方法

たとえ正確な統計・データであっても、データが並べられているだけでは、十分ではありません。集計されたデータから、特徴的な出来事や傾向を読み解くなどといった、目的意識をもってデータを分析することではじめて、統計・データの活用方法がみえてきます。データは、割合や比率、さまざまな分類方法によりまとめられていきます。これを表やグラフに落とし込み、見やすくわかりやすく整理することで、より説得力が増します。さらに、分析したデータは、会社の将来の方向性など、重要事項を決める支えともなります。データを活用することで、過去から現在の状況を把握するだけでなく、現在から将来の予測にも応用できます。

〔統計・データの活用方法〕
① 統計・データを利用する目的を明確にする。
② 統計・データを分析して特徴や傾向を読み取る。
③ 伝えたい内容を見やすくする。
④ 過去の事実、将来の予測に分類して利用する。
⑤ 相手に伝えやすくすることで、説得力を得る。

目的意識をもって統計・データを活用することで、「わかりやすさ」「伝えるポイント」がより明確となり、過去から将来にわたるデータ活用に展開しやすくなるといえます。

▶コンピュータ処理能力の超高速化やインターネット、端末（スマートフォン、タブレット）などの普及により生成された、大容量で非定型型のデジタルデータのことをビッグデータと呼びます。各種マーケティング情報、健康情報、位置情報、気象情報など、さまざまな分野で活用できるデータが含まれています。ビッグデータを統計学や機械学習、プログラミングなど駆使して有用な知見を導き出すアプローチはデータサイエンスと呼ばれ、ビジネスの意思決定にも活用されています。

2 統計・データの読み方

❶ 統計・データの信頼性の検証

　統計・データを読むにあたっては、まず、データ自体の信頼性に注意します。つぎの内容を確認しておくことが大切です。

①	データは最新のものか。
②	計測は正確に行われているか。
③	サンプル数は十分で、かつ的をはずしていないか。
④	データの出所は確認してあるか。

　これらデータの信頼性自体に問題があると、正確に分析を行っても、得られる結論は根拠に乏しいものとなってしまうので、しっかりと確認しておくようにします。

▶データの信頼性は分析の結果にも大きな影響があるため、十分に注意する必要があります。

❷ 統計やデータ分析の際、念頭に置いておくこと

　データを分析するといっても、日常の仕事で高度な知識を必要とするような機会はあまりめぐってはきません。

　それよりも、基本的な方法をしっかりと頭に入れておき、さまざまな統計やデータを目にしたとき、その意味するものを柔軟な視点で読み取り、有益な結論をすばやく導き出せるように、目と頭をきたえておくことのほうが重要です。統計やデータを見るときは、つぎの2点を常に念頭においておくようにします。

| ① | どんな主張や結論を導き出したいのか。 |
| ② | どんな主張や結論を導き出せるのか。 |

つまり、データ分析の目的を頭におきながら、目の前のデータそ

▶データの分析を行うときは、「何がしたいか」「何ができるか」など、分析の目的が大切です。

のものが何を語るかを冷静に見ることが必要です。

❸ 仮説から分析方法を選択する

　複雑なデータについて、まったくゼロからそれを読み込むのは効率が悪いといえます。過去の経験などにもとづいて仮説を立て、それに沿ってデータを分析すれば、より的確な評価を加えることができます。つまり、仮説を立ててデータの検証を行えば、より効率的に統計・データを読めることになります。仮説は絶対ではなく、分析が進むにつれて、変化していくものです。

　ただし、思い込みによる独断を避けるため、結論が見えたら一歩引いて、冷静に判断する習慣をつけておきます。

---

① 仮説を立ててデータを見る。
② 仮説を論証したり補強できる分析方法を選択する。
③ 場合によっては仮説を修正し、柔軟な判断を行う。

---

❹ 集計されたデータから特徴や傾向をつかむ

　売上金額、仕入金額、販売台数など、集められたデータを加工して、集計されたデータにどのような特徴があるかを分析します。データの加工によって、平均値や最大値・最小値の差の比較、サイズ別などへの分類といった方法で、大体の特徴をとらえることができます。また、季節によって傾向がみられる、季節変動を確認します。

❺ データの特徴を可視化する

　データの特徴や傾向をよりわかりやすくするために、特徴や傾向に応じたグラフを作り、見えるようにします。

▶過去から現在のデータを分析した結果、「将来的には○○○だろう」と仮説を立てることは有効です。

第2編

3

▶収集したデータから平均、伸び率、割合など算出することで、傾向をつかみます。

▶たとえば、アンケートの意見や感想は、似通った内容でまとめて計量値にします。

▶割合や比率、伸長率は、実数値よりも瞬間的に増減が把握できるため、短時間でデータの傾向をつかむには有効です。

▶グラフは短時間で傾向が見えることに加え、気づかなかった視点も見えることがあります。

▶データ分析の方法
①平均をとる。
②分けてみる。
③まとめてみる。
④比べてみる。
⑤流れのなかで変化を見る。

3 統計・データのまとめ方

変化は必ず数字に表れます。変化を感覚でなく、データで具体的に示すことで、変化の兆しも明瞭につかめます。

❶ STEP1（数値を把握する・数値で把握する）

①データ作成の第一の目的は、数値による計量的評価にあります。

②量、時間、金額および、それらの増減などの数値を把握します。

> [例] ●販売数量 ●要した日数 ●総売上金額 ●販売員数
> ●1日の平均販売数 ●一人あたり売上高 ●対前月比 など

③1つの結果から得た数値を加工して、さまざまな指標（数値）を作ります。

④数値化されていない生のデータは、グループ化するなどして数値に置き換えます。

▶たとえば、一人ひとりはばらばらの意見でも、よく似た意見同士をある程度集約するなど、量的に把握して全体の傾向をつかみます。

❷ STEP2（何を見たいのか、どの程度わかればよいのかに応じて、まとめる基準をつくる）

①目的に沿ってまとめる範囲を区切ります。

> [例] ●時間 ●地域 ●対象層　　　　　　　　　　　　など

②平均、共通項、特定のパターン、特異事項などに注目します。

> [例] ●地域差 ●年齢差 ●職業別
> ●週や月ごとの繰り返し ●夏に強いか冬に強いか　　など

③比べられるもの同士を比較します。

④実数、指数、パーセンテージなど、数値の基準を明確にします。

[例] ●総売上の増減を ┬→ 金額で見るか。
　　　　　　　　　　└→ 伸び率で見るか。
　　　●部門の売上を ┬→ 金額で見るか。
　　　　　　　　　　└→ 全社のなかの比率で見るか。　など

⑤数値を明確に把握できないものなど、はっきりしない部分の扱い方を考えます。

❸ STEP3（表・グラフなどにまとめる）

①表やグラフにまとめてみます（数値の大小や時間差による変化、それぞれの割合など特徴が鮮明に印象づけられ、はじめは意識しなかった新しい視点が浮かんでくる場合もあります）。

②何を見たいのか、どの程度わかればよいのかに応じて、表現方法を変えます。

③決められた表の形式や表記の基準があれば従います。

●データは集積することで価値を増す●

　決められた形式、作成基準などを勝手に変えると、経時変化などが読みとりにくくなり、比較するためにデータを再加工しなければならなくなります。

　[例]　「売上が少ないからと、これまで別に扱っていたF商品とQ商品を一括りに表記してしまう」など

　特に指示がない限り、これまでの形式や作成基準などは、そのまま使うことがデータ集積のルールです。

---

❹ STEP4（新しい視点を加える）

①これまで意識しなかったことを、数値化して把握します。

②新しい視点を得た場合は、まず全体の作業に影響のない範囲で試してみます。

③試した結果、「これならよさそうだ」という一定の明確かつ有効な結論を得たものは、上司や前任者の意向を確かめて採用します。

▶STEP4

データの収集対象を広げることで、新しい視点を得る場合は多いですが、統計・分析対象とする場合は、関係者との合意をとることが原則です。

▶STEP4 の具体例

「宿泊客だけに行っていたアンケート調査を、日帰り客に対しても行う→これまでわからなかった顧客の不満を把握できた」などがあります。

4 データ分析と将来の予測

　過去のデータは現状の正確な分析に必要であり、現状の分析は将来を的確に予測する基礎となります。データから将来を読み取る決め手は、データの特徴つまりデータのなかにあるパターンや一定の規則性といったクセを見抜くことです。

❶ 傾向を見る

　過去から現在までの推移にもとづいて、将来を予測します。

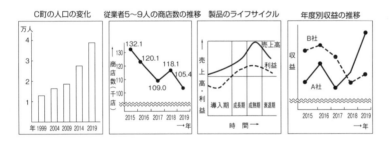

C町の人口の変化　従業者5〜9人の商店数の推移　製品のライフサイクル　年度別収益の推移

❷ 相互の関連を見る

　売上高を予測する場合、費用を固定費と変動費に分けてみると、利益が上がる売上高と、損失を出してしまう売上高が予測できます。

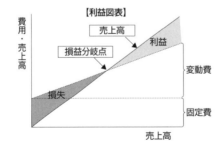

【利益図表】

▶データが羅列した表をグラフにすることで、推移や変化の度合い、パターン（傾向）の読み取りが容易になります。時系列で表になっているデータは、折れ線グラフや棒グラフにすることで数値の変化が視覚化できます。全体の傾向や推移が短時間でわかり、異常値も容易にとらえられます。

▶右肩上がりパターン、右肩下がりパターン、ライフサイクルパターン、山・谷パターンなど、パターンをつかむことが大切です。

▶固定費と変動費
固定費とは、売上高の大小にかかわらず一定に発生する費用のことです。変動費とは、売上高の大きさに比例して必要となる費用のことです。

❸ 必然的な要素と偶然の要素を分けて予測する

たとえば、サッカー場の前にある店の売上を予測します。日曜日という要素、天気が晴れか雨かという要素、ゲームの終了時間などという要素をそれぞれ区分し、総合的に客数を予測します。

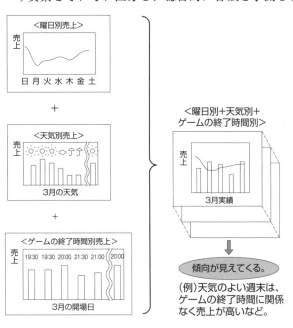

❹ 異常値を見逃さない、異常値だけにとらわれすぎない

データには、しばしば標準値や標準分布から離れた異常値が発見されることがあります。異常値の性質によっては、将来それが標準値や標準分布になる可能性をもっています。反対に、異常値だけにとらわれていると、予測そのものを誤ることがあります。

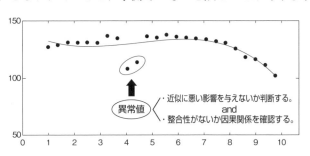

▶曜日は事前に決まっていることなので、必然的な要素。ゲームの終了時間は、状況により変更するので、偶然の要素。天気は、過去の実績や予報もあり、中間的な要素となります。

▶必然・偶然の要素など、さまざまな要素で視点を変えながらデータを分析することで、気づかなかった傾向がわかり、将来の予測に役立ちます。

▶グラフ化することで異常値が容易に発見される場合がありますが、異常値は「どうして発生したか」が重要であり、つぎの分析や改善につなげることが大切です。

▶異常値は表面の数値だけで判断せず、その数値が出てきた因果関係や背景を確認することが大切です。

1 インターネットの活用

❶ インターネットによる情報収集

　インターネットは、世界中の情報源に 24 時間アクセスが可能で、最新の情報を手軽に入手できます。ただし、すべてが正確で信頼できる情報とは限らないため、情報の出所や更新日を確認するなどの注意が必要です。

　インターネットによる情報収集の基本は、自分の仕事にかかわる情報源（官公庁・民間企業・海外のサイトなど）を決め、折に触れて接続することです。重要な情報源は、すぐに見られるように、インターネットブラウザのお気に入りに登録しておきます。

　情報収集で確認しておきたいホームページには以下のようなものがあります。

官公庁の ホームページ	信頼性の高い統計情報や白書など官公庁の見解が公表されている。社会環境の現状把握と今後の予測に役立つ。
企業の ホームページ	企業の経営方針、活動内容や商品、業績、社会貢献活動などが把握できる。取引先を訪問するときなどは、必ず先方のホームページを確認して情報収集しておく。また、競合他社のホームページも常にチェックして、動向に注意を払う。
新聞社など 報道機関の ホームページ	信頼性が高いだけでなく、印刷される前の速報性の高いニュースを確認することができる。海外の情報に対しては、特に有効である。
業界団体・調査会 社・専門情報関係 のサイト	専門家のノウハウを含んだ専門性の高い情報を得ることができる。

▶ SNS（49 ページ参照）・掲示板・ウィキペディアなどの書き込み情報をうのみにするのは危険です。複数のサイトで情報の裏づけを確認する必要があります。

▶ 情報には有料のものもあります（例：全国のスーパーマーケットの POS データ（売れ筋データ）など）。

② 検索エンジンの活用

どこに必要な情報があるかわからないときに利用するのが検索エンジンです。検索エンジンは、キーワードで検索すると、インターネット上の膨大な情報から、キーワードが含まれるページを選び出して表示します。最近では、生成 AI を搭載した検索エンジンが登場し、質問形式で入力すると、その内容に基づいて関連情報を効率的に検索することができます。しかし、誤った回答をする可能性があるので情報の検証が必要です。

③ 自社 Web サイトの活用

多くの企業が Web サイトをもち、さまざまな情報を発信しています。Web サイトが営業活動の一部を肩代わりするようになっています。お客さまの利便性を高め、インターネット上で自社の情報発信をするために、Web サイトを活用したいものです。

Web サイトを運営する際には、お客さまの視点になり、どのような情報が必要となるかを考えます。会社概要、会社の歴史、商品案内、財務情報、採用情報、問い合わせ先などは必須項目です。また、来社される方への交通案内や商品に対する Q & A など、お客さまの利便性を高める情報は有効です。つねに、最新の情報が掲出されるように、更新頻度にも注意します。

公式ホームページ以外にも、SNS なども情報発信には有効です。

④ 知的財産権への配慮

インターネットに公開されている情報にも著作権や肖像権があります。その情報を個人的に使用する以外に多数の人へ公開する文書に使用する場合や、本を出版するなどの収益目的に利用する際には、著作権をもっている情報発信者の承諾が必要です。

▶高速回線やスマートフォンの普及により、動画をつかった商品紹介やライブ配信などの活用が増えています。

▶メールマガジンにはクーポン券などの特典をつけて、販売促進活動を行うことも多くあります。

▶著作権
文章・音楽・美術など著作物をその著作者が独占的に支配して利益を受ける権利です。たとえば、「ホームページからそのままコピーしてきた文章を、作成者の了解なく論文にのせる」ことなどは、著作権違反となります。

▶肖像権
肖像権は、他人から無断で写真を撮影されたり、自分が写っている写真を無断で利用されたりすることから守る権利です。有名人の権利がよく話題になりますが、誰にでも認められている権利です。

第2編

4

2　新聞記事の活用

❶ 時代の変化を把握する

　日々、朝刊・夕刊と配布される新聞は、毎日情報収集するメディアとしては最適です。一覧性が高く、コンパクトで情報量も多いため、短時間で大量の情報を得ることができます。

　また、一般紙、地方紙、業界紙、専門紙などの種類があり、社会全般の情報、地域に密着した情報、ビジネスに関係の深い産業・経済記事など、収集する情報に合わせて新聞を選ぶことができます。

　新聞の第1面は、その日の最重要ニュースが掲載される総合記事欄です。第1面の見出しは必ず一通り目を通しましょう。特にアタマと呼ばれる第1面の新聞右上の記事が、その日の最重要ニュースです。時代の変化をいちばん読み取れる記事ですから、この記事は見出しだけでなく必ず全文読みましょう。

図表4－1　新聞情報の特徴

特　徴	● ニュースをはじめさまざまな情報が扱われ、バランスのとれた情報を取捨選択しながら取得できる。 ● 記録保存性にもすぐれている。
注意点	● 速報性という点では、テレビやラジオ、インターネットに劣る。 ● 新聞社によって取材の姿勢や論調に差異があるので、数紙を読み比べるのがよい。

❷ 興味のある分野に絞って読む

　自分の興味のある分野に絞って読むことは、毎日の新聞を読む習慣を継続し、情報感度を上げるよい方法です。

▶新聞は、その日にあったことを中心に構成されているため、一定期間継続して読むことで、テーマの前後関係や全体像が把握できます。

▶その他新聞を読む際の注意事項
・新聞社ごとに取材先、記事の選び方、見解が異なるため、一紙だけを読むと情報がかたよる危険性があります。
・当事者発表だけで構成する記事には、内容にかたよりがある場合があります。

（1）自分の所属する業界の動向を知る

　業界内の提携や合併の記事、新製品・サービスの紹介、政治・行政の動向、人事ニュースなどと幅を広げていきましょう。特に取引先と競合他社の情報は必ずチェックしましょう。

（2）役立ちそうな記事を切り抜いて保存する

　テーマや目的を絞って記事を整理・保存しておくと、必要な情報を使いたいとき、すぐに取り出すことができて便利です。それだけでなく、特定のテーマの記事を読み続けることになるので、結果としてそのテーマに関する情報に精通することができます。

（3）コラム記事や連載記事を読む

　コラム記事は、そのときどきの社会の関心事や各界の著名人の意見などが掲載されるため、世の中の動きに対する予測や考え方の示唆に富んでいます。報道記事とは違った切り口で書かれている場合も多く、視野が広がります。また、1つのテーマを追い続ける連載記事を読むことも、関係する知識を深めるのに役立ちます。

❸ ニュースを関連づけて読む

　ニュースが与える自社への影響を考えたり、社会の仕組みの理解を深める目的で、ニュースを関連づけて読むことが大切です。

　そのためには、関連記事を読む習慣をつけましょう。第1面などの大きなニュースには、「関連記事○面」と書かれている場合があります。このような関連記事にも目を通してみましょう。経済面には企業や経済に関する記事が、国際面には関係する国々の記事が、社会面やくらし面には人々の生活に関する記事があり、ニュース同士の関連性がわかります。最初は難しいですが、慣れてくると、政治と経済、世界各国の動き、商業と文化など、さまざまなニュースの関連性が理解できるようになってきます。

▶幅広い視野をもてるかもてないかが、将来の自分の進路を左右します。当面の関心事だけでなく、政治・国際面には必ず目を通しましょう。

▶最近は、スマートフォンやタブレットに対応したデジタル版の新聞の利用が増えています。スマートフォンでいつでも読めるだけでなく、新聞記事が検索でき、記事のお気に入りを保存できます。

▶社説は新聞社の考えを表しています。インターネットの新聞社サイトなどを見て、各社の社説を比較すると新聞社の考えの違いがわかります。

▶お客さまとの話題づくりのためにも新聞に必ず目を通しましょう。

3　その他のメディアからの情報収集

❶ 書籍・雑誌などの出版物

　書籍・雑誌などの出版物は、自分の仕事関係や興味あるテーマについて、深く調べられるのが特徴です。目次、索引、参考文献一覧も情報の取捨選択をするための指針になります。また、雑誌は、いろいろなテーマを継続的に考察する際に有用です。数誌を読み比べることにより、異なった視点からの情報をチェックすることもできます。

❷ テレビ・ラジオなど

　速報性、同時性ではテレビ・ラジオは新聞にまさります。特にテレビのニュース番組は映像により内容を理解しやすいのが特徴です。ニュース番組は最初に重要なニュースから取り上げます。

▶テレビ局のホームページなどでニュース映像を確認できます。

図表4-2　テレビ・ラジオ情報の特徴

特　徴	● 速報性・同時性が高い。 ● とくにテレビは、映像によって一瞬にして情報を得ることができる。
注意点	● 題材をあまり深く掘り下げていない場合もあるので、他の情報媒体などで内容を再確認することが必要。 ● 新聞などとは違い生の情報が流れるため、特定の人物によるかたよった意見や見方に影響を受けがちになるという危険性もある。

❸ 図書館・資料館など

　図書館には、発行から年月が経過しているものも含めて大量の書籍が貯蔵されています。収集したい情報やテーマが絞られてい

る場合に、複数の書籍を読むことができるので、深く掘り下げて調べられるという強みがあります。書籍を購入するコストもかかりません。また、最近は、インターネットで図書館の本の在庫確認や予約が手軽にでき、利用しやすくなっています。

資料館は、特定の事柄や特定地域の資料について調査するのに向いています。

④ 講演会・セミナー・イベントなど

講習会やセミナーでは識者や専門家の話を、直接聴くことができます。フェアなどのイベントでは、商品に関する話を直接聴くことができ、パンフレットなどの資料も入手できます。

⑤ 会社の広報誌、タウン誌など

会社の広報誌は、会社の新しい動きをつかめるほか、技術情報でも有益なものが含まれていることがあります。タウン誌は地域に密着しており、その地域の住人や商店街の人々などから入手方法が聞けます。

⑥ 人脈から得られる情報

人脈から得られる情報には、ノウハウ、状況に応じた判断、裏話など活字からは入手できない貴重な情報が含まれています。幅広く多くの人と人脈を構築したいものです。先輩、友人、取引先、知人などとのよい人間関係を築くことが人脈づくりの基本です。

⑦ 広告、DMなど、その他の情報源

会社や店舗などから届くDM、電車内の吊り広告、人々のファッションなどから、流行の変化を読み取ることができます。

▶官公庁での情報収集
毎年の政府の方針や省庁が調査した各種統計データなどの官公庁情報は、基礎的なデータが豊富なため、調査・研究などの資料として活用できます。これらの情報は、官公庁のホームページから引き出すことができます。まとめて出版されたものは、図書館や政府刊行物センターなどにそろっています。

▶広報誌は企業のホームページからも入手できることが多くあります。

▶タウン誌
地域のイベントや店舗、求人、生活情報などを中心に掲載して発行される雑誌のことです。無料で配布されるタウン誌はフリーペーパー、フリーマガジンなどと呼ばれています。

▶人脈の構築
「7－4　人のネットワーク」68ページを参照してください。

1 企業活動の源泉は売上

❶ 売上と利益があってこその会社

会社はなんらかの商品やサービスを売ることで成り立っています。したがって、お客さまからの支持を得て、商品やサービスを買ってもらうことが企業活動の根幹といえます。たとえ、自分がお客さまと接していない部門で仕事をしていたとしても、その仕事は最終的に「お客さまに支持していただくため」ということにつながっていることを忘れてはなりません。

では、お客さまに買ってもらえさえすればよいのでしょうか。そうではありません。会社は利益をあげてこそ継続できるのです。仕事の結果は、最終的に利益として表われます。売上が多くても会社として損失を出したなら、その仕事は成功とはいえないのです。

❷ 利益の大切さとコスト意識

会社は利益を確保し、その利益をつぎの成長・発展に役立てることで、社会へ貢献しています。

「自分の会社の営業利益や商品の売上総利益がいくらか」を知っている人は、利益の大切さをわかっている人でしょう。業務中に見積書や請求書で見る数字の総額が何千万円もの大金でも、そのうち、原価・経費を差し引いた営業利益として会社が得られる金額は、意外に少ないのです。たとえば、5,000万円の売上があっても、営業利益率が2％であるならば、利益は100万円ということです。

▶ 利益＝売上－費用

利益を上げるには、いかにたくさん売って売上をあげるか、あるいはいかに費用をおさえるか。この2つの考え方が必要になります。

▶ ABC分析
（パレート分析）

上位20％が全体の80％の成果を上げるというパレートの法則に基づき、重要な商品をA、次に重要な商品をB、その他をCの3グループに分け、Aグループを重点的に管理する手法で、効率的な経営資源の配分が可能になります。一方、CグループのニッチＬ商品群の売上合計がAグループを上回る現象をロングテールと呼びます。多くのニッチ商品を取り扱うことで顧客数や利益を増やす戦略で、成功のためにはITを活用した在庫管理や物流の最適化が必要です。

　会社は、人員の確保や設備維持のため、つねに経費を支出しています。わたしたちは会社に時間と労力を提供して、会社は対価として給与を支払います。また、わたしたちが会社の机や椅子、パソコンを使用し、交通費をかけて商談に出掛けることで、会社はさまざまな経費を支出しています。したがって、会社のコピー用紙を1枚ムダにしたり、私用電話をかけたりすれば、会社はそのぶんだけ、みんなの力を合わせて得た利益を失うことになるのです。

　こうしたことを組織の一人ひとりがしっかりと自覚し、会社全体であげた利益を有効に活用できるように心がけなければなりません。

第2編

5

[価格の決め方]

　利益を確保するためには、売上が必要である。売上は、お客さまに商品やサービスを買っていただいた金額（価格）の集積である。そうすると、価格の設定が売上高に大きな影響を及ぼすことになる。価格を決める際、つぎのような考え方がある。

① コスト積み上げ価格設定

　原価に経費、利益を加えて価格を決める。利益は確実に確保できるが、お客さまに受け入れられるとはかぎらない。
（例）原価400円、経費200円、利益500円、合計して1,100円で売る。

② 競争重視価格設定

　競争相手の価格を基準に、価格を決める。行きすぎると、利益を圧迫してしまう可能性がある。
（例）A店が2,500円で売っているから、B店は2,400円で売る。

③ 心理的価格設定

　お客さまから見た「値ごろ感」を重視する。コストを意識した価格設定になることがある。
（例）2,000円のTシャツを1,980円とする。このようにすると、実際の値下げ以上に安く感じるので、あえて端数の価格にすることがある。

---

2 売上・コスト・利益

❶ 売上と利益の仕組み

　売上の確保と利益の確保は、会社の大きな目標です。図表5－1は、売上と利益の関係を表しています。

図表5－1　売上と利益の関係

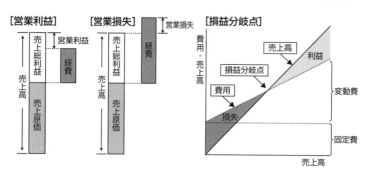

　売上高から原価を差し引いた利益が「売上総利益」です。原価は、商品の販売や製造などにかかった直接的な費用です。売上総利益から人件費、家賃、水道光熱費などの経費を差し引いた利益が「営業利益」です。反対に経費が売上総利益より多ければ「営業損失」になります。営業損失が続けば、倒産にもなりかねません。売上総利益から経費を引いて営業利益が確保されていることは、その事業がうまくいっていることを意味します。

　利益を確保するために最低限必要な売上高が「損益分岐点」です。売上高が損益分岐点を超えると黒字になり、損益分岐点を下回ると赤字になります。損益分岐点は最低限の売上高の目標で、固定費と変動費から下式で求められます。簡易的に経費を固定費、売上原価を変動費として計算することもあります。

> 損益分岐点＝固定費÷（1－変動費／売上高）

▶押さえておきたい用語

●損益計算書

会社の活動には、商品・サービスを生み出す本業の部分と、本業以外の財務活動や不動産投資などの部分があります。そこで、会社の活動を区分して、それぞれ利益を算出し、どの部分で利益を出しているかを明確にします。

●売上原価

販売された商品または製品の原価

●販売費及び一般管理費

給料、水道光熱費、旅費交通費、通信費、広告宣伝費など

●営業外収益

本来の営業活動以外の収益（受取利息や為替差益など）

●特別利益

臨時利益（固定資産売却益など）

●特別損失

臨時費用（固定資産売却損、災害による損失など）

❷ 原価と経費の考え方

　たとえば、ラーメン1杯を600円で売るとします。そのためには、まず麺やスープやチャーシューなどを準備しなければなりません。これが原価です。また、ラーメンをつくるためにはお店を借り、水道やガス・電気を使います。さらに、一人でできなければ、従業員を雇います。つまり、お店として運営できる体制を整えるための費用が必要になります。これが経費です。

▶原価は、製造業であれば、原材料や生産のために直接的に必要となる費用など。小売業や卸売業であれば、商品を仕入れた金額です。飲食業などのサービス業では材料費を指します。

図表5-2　原価と経費の例（ラーメン店の場合）

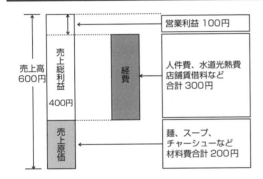

　ムダな原価や経費は、削減する努力が必要です。しかし、むやみに削ってしまうと、商品やサービスの質まで落としかねません。麺やスープに使う材料の質を落としたり、人件費を削ろうとして従業員を減らせば、お客さまに不満をもたれるかもしれません。

▶経費には、以下のようなものがあります。
・給料などの人件費
・水道やガス・電気などの光熱費
・電話やインターネット接続料などの通信費
・店舗や事務所を借りていれば賃借料
・広告宣伝費

第2編
5

❸ 営業利益と経常利益

営業利益を確保するためには、以下の努力が欠かせません。

① 原価を下げる。　② 経費を抑える。　③ 売上を伸ばす。

　商品やサービスをお客さまに買ってもらう努力とともに、材料の調達や仕入れを効率よく行い、なおかつムダな経費を使わないことが求められます。会社のさまざまな事業活動の結果は、営業利益に営業外収益を加算し、営業外費用を差し引いた「経常利益」であらわされます。

▶会社の経営成績はこの経常利益に着目することになります。

1　ビジネスの基本となる法律

❶ 法律知識の必要性

　会社は、商品やサービスを社会に提供し、その対価として収益をあげます。お客さまからのクレームへの対応や売上金の回収などをとっても、法律知識がなくては適切な対処ができません。ビジネスに限らず市民生活において、経済活動を行ううえでも、法律知識を必要とする場面はあります。たとえば、お店で商品を購入すれば売買契約を結んでいることになります。

　正しい法律知識をもち、法を順守することにより、適切な会社運営、公正な取引、トラブルの予防による消費者保護、不法行為による損失防止を図ることができます。

❷ ビジネスの基本となる法律

（1）会社組織に関する法律

　会社は、商品やサービスをほかの企業または消費者に販売したり、事業をするために投資家から出資を募ったりします。また、会社の重要な意思決定をするために株主総会や取締役会を開催します。このように会社が事業活動を適正に行ううえで守るべき法律として、民法、商法、会社法などの規定があります。

図表6－1　会社組織に関する法律
民法（総則編）― 商法 ―　会社法など 　　　　　　　　　　　― 商業登記法など

▶株主総会
　株式会社の実質的な所有者である株主で構成された機関です。株式会社の基本的な方針や重要な事項を決定します。

▶商業登記法
　商法や会社法の規定により登記すべき事項とその手続について規定された法律です。株式会社はこの法律に沿って、登記を行わないと設立することができません。

（2）人事・労務に関する法律

労働基準法、労働組合法、労働関係調整法を、労働三法といいます。労働基準法とは、労働条件について使用者が守るべき最低限の基準を定めたもので、違反すれば罰則が適用されます。

図表6－2　人事・労務に関する法律

労働基準法 ── 労災保険法、労働安全衛生法、雇用保険法
　　　　　　　　 男女雇用機会均等法、育児・介護休業法など
労働組合法
労働関係調整法

（3）取引に関する法律

お客さまとの取引が合意すると契約が成立し、法的に強制力が発生します。つまり、この約束を相手が破った場合には、裁判所に訴えて損害賠償を請求することができます。このようなトラブルを解決し、取引の安全・安心を確保するための規定に民法などがあります。

図表6－3　取引に関する法律

民法（総則、物権、債権編）── 商法 ── 手形法
　　　　　　　　　　　　　　　　　　　── 小切手法
　　　　　　　　　　　　　　　　　　　── 金融商品取引法
　　　　　　　　　　　　　── 特定商取引法・割賦販売法
　　　　　　　　　　　　　── 製造物責任法（PL法）
　　　　　　　　　　　　　── 電子署名法、消費者契約法など

（4）社会・経済の公正ルールに関する法律

図表6－4　社会・経済の公正ルールに関する法律

独占禁止法─景品表示法など
大規模小売店舗立地法
知的財産権関係（特許権、実用新案権、意匠法、商標法、
　　　　　　　　著作権法、不正競争防止法など）
環境法関連（容器包装リサイクル法、プラスチック資源循環促
　　　　　　　進法など）

▶労働組合法
労働者が組合を組織し、使用者と団体で交渉することにより、双方が対等の立場に立てるように定めた法律です。

▶労働関係調整法
労働関係を調整し、労働争議の予防と解決を図ることを目的とした法律です。

▶契約は、「申込み」と「承諾」という相対する2つの意思表示が合致すると成立します。つまり、売主の「売ります」という意思表示と、買主の「買います」という意思表示の合致が成立の要件となります。

▶特定商取引法
訪問販売など消費者トラブルを起こしやすい特定の取引類型を対象に、トラブル防止のルールを定めた法律です。事業者による不公正な勧誘行為などを取り締まり、消費者取引の公正を確保することを目的としています。

2 ビジネスで知っておきたい法律

❶ 知っておきたい法律の諸点

（1）民法

　日常生活に関して基礎となる法律です。財産や身分に関わる社会生活関連の一般法で、総則編のほか、物権（物に対する支配権）編と債権（人に対する請求権）編、および親族・相続編で構成されています。

図表6−5　民法の構成

```
・総則 ─────┬─ 人（権利能力、行為能力など）
            ├─ 法人（法人制度一般など）
            ├─ 物（不動産および動産の定義など）
            ├─ 法律行為（意思表示、代理など）
            └─ 時効（取得時効、消滅時効など）など
・物権（所有権、質権、抵当権など）
・債権（契約、保証債務、債権譲渡など）
・親族・相続
```

（2）商法

　商行為（商取引）などを規律する法律です。商法が特別法、民法が一般法で、商取引などについては商法が優先的に適用され、商法に規定がないときに民法が適用されます。

（3）会社法

　商法などで規定していた会社に関する法律を1つにまとめ、単体の法律にしたもので、会社の設立、組織および運営、管理について定めた法律です。

▶一般法と特別法
・**一般法**：広い範囲に適用される法律
・**特別法**：特定の範囲に適用される法律
　特別法が存在する場合は、一般法よりも特別法が優先されます。

▶会社法
　商法第2編、有限会社法、商法特例法などに分散していた会社に関する法律が大幅に改革・統合され、2006年5月に施行されました。有限会社の廃止や最低資本金の撤廃、合同会社（LLC）の創設など、複雑化する企業活動に対応しています。また2015年5月にはコーポレートガバナンスの強化、2022年9月には株主総会資料のWebサイトの掲載などデジタル化による効率化を目的とした改正法が施行されました。

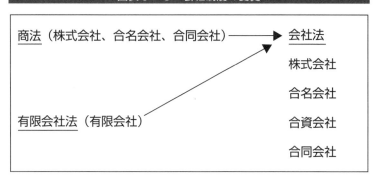

図表6－6　会社制度の変更

（4）製造物責任法

たとえば、子どもが通常の方法で遊んでいた玩具が壊れ、子どもがけがをして入院した場合、その製品を製造していた会社が負う責任のことを製造物責任（ＰＬ）といいます。製造物責任法では、製造物の欠陥により生命、身体、財産に被害が生じた場合のメーカーの損害賠償責任を規定し、消費者の保護を目的としています。

❷ 個人情報の保護に関する法律（個人情報保護法）

個人情報保護法は、ＩＴ社会の進展に伴い個人情報の利用が著しく拡大していることを考慮し、個人情報の有用性に配慮しつつ、個人情報の適正な保護を規定した法律です。

個人情報保護法では、個人情報を収集するときには、利用目的を特定して相手に通知・公表することなどが決められています。個人データの漏えいなどが生じないように、各会社で、つぎのような対策がなされています。

図表6－7　個人情報にもとづく安全対策

組織的対策── 安全対策としての情報活用規定の整備
人的対策── 教育訓練の実施
物理的対策── 入退室管理や盗難防止への対策など
技術的対策── 個人データへのアクセスについての識別や認証などの対策、不正ソフトウェアの対策など

▶製造物とは、製造・加工された動産のことで、土地などの不動産やサービス、未加工の農林水産物は含まれません。

▶個人情報取扱事業者は、個人情報の利用目的を「できる限り特定する」こととされています。たとえば、以下のようになります。
・「お名前とご住所をお書きください」
→（×）個人情報の利用目的がわかりません。
・「顧客サービスのため、お名前とご住所をお書きください」
→（△）個人情報の利用目的が明確とはいえません。
・「感謝祭のご案内をお送りいたしますので、お名前とご住所をお書きください」
→（○）具体的な個人情報の利用目的が明確にされています。

3 就業規則と労働法

❶ 労働基準法

　労働基準法とは、労働条件について使用者が守るべき最低限の基準を定めたものです。労働条件は、労働者と使用者が、対等の立場で決定されるものです。

▶この法律に違反すれば経営者は罰則が適用されることになります。

❷ 就業規則は職場の基本的なルール

　会社の一員として最初に自覚すべきことは、職場の規律や基本ルールである就業規則を守ることです。就業規則に記載される事項には、つぎのようなものがあります。

---

① 　必ず記載されるべき事項（絶対的記載事項）
・ 始業・終業の時刻、休憩時間、休日、休暇、交替勤務のある場合はその方法
・ 臨時に支払われるものを除く給与（賃金）の決定、計算および支払いの方法、賃金の締切りと支払い時期、昇給に関する事項
・ 退職・解雇に関する事項

② 　記載しなくても認められるが、規則を定めるのであれば記載されるべき事項（相対的記載事項）
・ 退職手当に関する事項
・ 賞与など臨時に支払われる賃金、最低賃金に関する事項
・ 食費、作業用品など従業員の負担に関する事項
・ 安全および衛生に関する事項

な　ど

▶就業規則
　その会社の使用者（経営者）が、職場で働く労働者（従業員）の労働条件や規律について定めたものです。就業規則の作成、変更について、使用者は労働組合または「従業員代表」の意見を聴かなければならないことが労働基準法で定められています。

❸ 就業規則と雇用契約（労働契約）、労働協約との関係

労働基準法によると、常時 10 人以上の労働者を雇用している会社では、使用者が就業規則を作成して所轄の労働基準監督署に届け出ることが義務づけられています。雇用契約（労働契約）は入社時に使用者と雇用される者との間で取り交わされるもので、雇用契約の内容が就業規則で定める基準に達しない場合、就業規則で定める基準が雇用契約の内容になります。

一方、労働協約は労使関係の運営を円滑にするため、労働組合と使用者の間で取り交わされるルールです。就業規則の内容は、労働協約の内容にもとづくことになっています。

図表 6 − 8 就業規則と雇用契約（労働契約）、労働協約法との関係

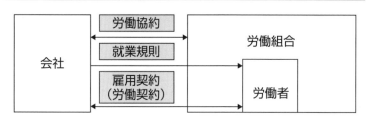

❹ その他の労働法

働く女性の社会進出が進むとともに、パート社員や派遣社員など、現代では雇用形態が多様化しています。

（1）男女雇用機会均等法

雇用、労働条件などにおいて男女の機会を均等にすることで、憲法の定める「法の下の平等」の原則を具体化した法律です。労働者の配置、昇進などで男女差別の禁止などが定められています。

（2）パートタイム・有期雇用労働法

パートタイム労働者、アルバイト、有期雇用労働者など、いわゆる「非正規雇用」と言われる労働者の労働条件や待遇について、正社員との公正な待遇確保を目指すために制定された法律です。

▶労働契約法
労働者の保護と個別労働紛争の防止を目的に労働契約に公正・透明なルールを定めています。

▶労働協約
労働組合と使用者の間で労働条件や待遇などの事項を定めたものです。

▶労働組合がない職場は、投票などの方法により「従業員代表」を選出し、使用者と協議を行うことが、労働基準法で認められています。

▶男女雇用機会均等法
雇用の分野において男女の均等な機会および待遇の確保を目的に制定された法律です。事業主に対し、労働者の募集、採用について、性別にかかわりなく均等な機会を与えることを義務づけています。妊娠・出産・育児休業などに対するハラスメントやセクシュアルハラスメントの防止措置も含まれています。

▶パートタイム・有期雇用労働法
正式名称は、「短時間労働者及び有期雇用労働者の雇用管理の改善等に関する法律」です。

第2編
6

4　勤務条件と休暇の仕組み

❶ 労働時間の考え方

　労働時間とは休憩時間を除いた実労働時間のことで、労働基準法により、原則として1日8時間、週40時間までと定められています。会社が労働者に法定労働時間を超える時間外労働や休日・深夜労働をさせる場合には、一定の割増賃金を支払わなければなりません。

　会社によっては、各自の始業・終業時刻を自由に選べるフレックスタイム制や、あらかじめ定められた時間を労働したとみなす裁量労働制を採用している場合があります。

　フレックスタイム制では、1週間、1か月、3か月といった一定期間の総労働時間をあらかじめ定めておいて、出社・退社の時間は労働者本人の自由に任せます。また、必ず勤務しなければならない時間帯（コアタイム）と、自由な時間帯（フレキシブルタイム）が定められていることが多くみられます。また、裁量労働制とは、新聞記者、放送番組のプロデューサーなど業務遂行の手段や方法、時間配分などを大幅に労働者の裁量にゆだねる必要がある業務に適用できる制度です。対象は、専門業務（研究開発など）のほか、企画業務（企画立案、調査など）に広げられています。

> **【労働時間を労働者の裁量にゆだねる制度が進展している背景】**
> ●ワークライフバランスなど労働者の意識の変化
> ●勤務時間や勤続年数の長さよりも仕事の達成能力や成果を中心に報酬を決定する考え方が広まったこと（年功主義から成果主義への変化する流れに沿って）。

▶労働基準法では、割増賃金を以下のとおり支払わなければならないと定められています。
・**時間外労働**…25%以上（1か月60時間超の部分は50%以上）
・**深夜労働**…25%以上
・**休日労働**…35%以上

▶ワークライフバランス
仕事と私生活のどちらかを犠牲にするのではなく、どちらも充実させようとする考え方です。

❷ 休日、休暇の考え方

多くの会社では、週1回の法定休日のほか、正月休み、夏季休暇、国民の祝日などが休日にされています。このような会社所定の年間休日に、自分の有給休暇を合わせると、年間何日の休みが取れるか計算できます。有給休暇は正式には年次有給休暇といい、労働基準法39条で「雇入れの日から6か月間継続勤務し、全労働日の8割以上出勤」すれば最低10日の有給休暇が与えられるとされています（最高20日まで）。また、年次有給休暇の消滅時効は2年と定められています。つまり、有給休暇を使わず残った場合、権利発生から2年間は残った日数を翌年に繰り越すことができます。

❸ 休暇にはさまざまな種類がある

個人の事情で取得できる休暇に、会社が認める冠婚葬祭のための慶弔休暇、生理休暇などや、法定の産前・産後休業があります。産前・産後休業では、産前6週間（多胎妊娠の場合には14週間）産後8週間の休暇期間が女性に認められています。

その他、法定休暇として、育児・介護休業法にもとづき、1歳未満の子どもの養育のため、出産後1年以内（保育所が見つからないなど一定の場合は最長2歳まで）の育児休業と、また家族の介護のため、対象家族1人につき3回を上限として通算93日まで、介護休業の分割取得が認められています。

育児・介護休業法では、休業中に会社からの所得保障はありませんが、雇用保険による介護休業給付、育児休業給付が支給されます。また、3歳未満の子どもを養育する労働者には、所定外労働時間の免除、短時間勤務なども認められています。またパパ・ママ育休プラスに加え、2021年改正では男性の育休取得促進のための柔軟な枠組みの創設や育休の分割取得が可能となり、男性の育休取得環境が整ってきています。

▶働き方改革関連法

長時間労働の是正、多様で柔軟な働き方の実現、雇用形態にかかわらない公正な待遇の確保等のための一連の法律改正。2019年4月から時間外労働の上限規制、年次有給休暇の確実な取得、勤務間インターバル制度の導入など労働時間法制の見直しが、2020年4月から雇用形態に関わらない公正な待遇の確保が施行され、2023年4月から中小企業にも月60時間を超える残業に対する割増賃金率が引き上げられました。

第2編

6

▶育児・介護休業法

労働者が子育てや介護をしながら働き続けられるよう、仕事と家庭の両立を目指し制定された法律です。2017年に育児休業期間の上限の延長などについて、2019年には子の看護休暇・介護休暇を時間単位で取得可能に、2021年には育児休業を取得しやすい雇用環境整備や、該当者に対する育児休暇制度の個別周知の義務化などの改正が行われました。

5　社会保障制度

❶　社会保険は社会保障制度の根幹

　日本の社会保障制度の基本となる精神は、憲法第 25 条の「すべて国民は、健康で文化的な最低限度の生活を営む権利を有する」という条文にあります。社会保障制度は、国民の安心や生活の安定を支えるセーフティネットとして、社会保険、公的扶助、社会福祉、公衆衛生に分類されます。

　このうち社会保険は、社会保障制度の中心になる役割を果たしているもので、老後の生活を保障する公的年金、病気になったり、けがをした場合の健康保険（医療保険）、介護を受ける状態になった場合の介護保険、失業の際などに適用される雇用保険、業務上の災害や事故に対する労働者災害補償保険（労災保険）があります。

▶憲法 25 条では、生存権実現のために「国はすべての生活場面について、社会福祉、社会保障及び公衆衛生の向上及び増進に努めなければならない」と規定しています。

図表 6 − 9　社会保障制度

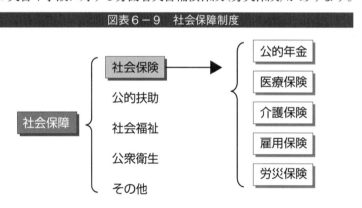

▶原則として、公的年金の支給は、満 65 歳になったとき（老齢年金は加入期間 10 年以上必要）、重度な障害状態になったとき（障害年金）、被保険者が死亡したとき（遺族年金）に受けることができます。

❷　公的年金

公的年金制度には、国民年金と厚生年金があります。

日本においては、20 歳になったら国民年金に強制加入するこ

とになっています。厚生年金は、図表6－10のように国民年金（強制加入）を基礎年金として、それに上乗せした形で二重加入します。年金は、受け取る事由が生じたら、それまでの加入状況に応じて支給を受けることができます。

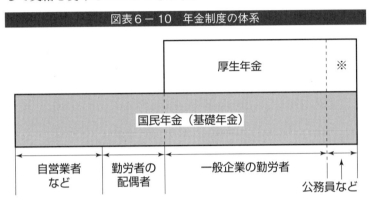

図表6－10　年金制度の体系

※公務員などが加入していた共済年金は、被用者年金制度の一元化に伴い、2015年10月1日から厚生年金に統合されました。

❸ 健康保険・雇用保険・労災保険

　勤労者は被用者保険（健康保険など）、自営業者、非就業者などは国民健康保険と、我が国ではすべての人が健康保険に加入することになっています。これは、病気になったり事故にあったりした場合、治療費や休業による所得の減少などを補填する制度で、医療を受ける際に保険証を提出し、自己負担分を支払えば、保険医療を受けることができます。また、要介護者や寝たきり老人などへの支援を行うため、40歳以上の国民は介護保険料を負担し、介護保険に加入することが定められています。

　雇用保険制度のうち、代表的なものが失業・失職の際に給付される基本手当（失業給付）です。離職の日以前2年間に被保険者であった期間が原則12か月以上あり、公共職業安定所に求職申込みをして失業の認定を受けた者が、給付される資格をもちます（離職の理由により例外あり）。

　労災保険（労働者災害補償保険）は、業務上、通勤途上の事故や災害に対して一定の給付を行います。

▶公的年金のほか、会社によっては企業年金が上積みされることがあります。また、保険会社と契約して、個人年金に加入することもできます。

▶健康保険は、けがや病気以外にも、出産育児一時金、葬祭費などがあり、所定の書式で申請したあと、一定金額が支給されます。

▶雇用保険の給付額は、離職前の賃金日額の50～80%（60歳から64歳については45～80%）を基準に、被保険者期間に応じて、一定の期間支払われます。

▶労働者が労災にあったときには、①療養補償、②休業補償、③障害補償、④遺族補償、⑤葬祭費などの補償が受けられます。

第2編
6

6　税金の基礎知識

❶　国税と地方税

　会社としても個人としても、税金を納めるのは国民としての義務です。日本には50種類以上の税金があり、これらは国税と地方税に区分することができます。さらに、国税、地方税を性格によって分けると、図表6－11のようになります。

図表6－11　国税と地方税

	国税	地方税
利益に応じてその一部を納める税	所得税 法人税　など	住民税 事業税　など
財産をもっている事実にもとづいてかかる税	相続税 贈与税　など	固定資産税 自動車税　など
消費している事実にもとづいてかかる税	消費税 酒税　　　など	地方消費税など
財産や権利の移転に際してかかる税	印紙税 登録免許税など	不動産取得税 　　　　　など

❷　所得税と所得控除

　所得税は、個人が得た所得に対して課される税金です。課税所得金額に応じて、超過累進税率がかけられます。

超過累進税率（5%〜45%）

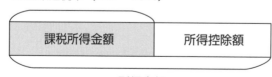

所得金額

▶国税とは国に納める税金で、税務署の担当です。地方税には（都）道府県税と市（区）町村税があります。（都）道府県税は都道府県の税務事務所、市（区）町村税は市（区）町村の税務課が担当します。

▶復興特別税
　「東日本大震災からの復興のための施策を実施するために必要な財源の確保に関する特別措置法」にもとづき創設された税制度です。所得税には税額の2.1％を2013年から25年間、住民税には道府県民税・市町村民税合わせて1000円を2014年から10年間、上乗せされます。

▶超過累進税率は、所得の金額が大きいほど税率が高くなり、所得の額に応じて7段階（5%、10%、20%、23%、33%、40%、45%）に分けられます。

　勤労者に関係が深いのは、給与所得に対する所得税です。給与から給与所得控除を差し引き、さらに所得控除を差し引くと課税所得金額が計算されます。この所得控除の代表的なものは、以下です。

①	人的控除	配偶者控除、扶養控除、障害者控除、勤労学生控除など
②	その他の控除	社会保険料控除、生命保険料控除地震保険料控除、医療費控除、雑損控除など

❸ 年末調整と確定申告

（1）年末調整

　給与所得税額は、年末調整を通じて精算されます。年末調整とは、その年の最後の給与の支払いの際に、それまでおおよその見込みで天引きされてきた額（源泉所得税額）と、その1年の給与総額が確定した時点で計算した正確な年税額との差額を算出し、精算するものです。天引きしてきた額が実際の額より少なければその分を支払い、多ければ戻されます。

（2）確定申告

　確定申告とは、毎年1月1日から12月31日までに得たすべての所得を計算し、申告・納税する手続きのことです。上述の所得控除のうちの医療費控除、雑損控除などについては、一定金額以上の医療・災害等による支出があった場合などは、自分で確定申告を行うことで還付（税金が返ってくること）金が受けられます。

❹ 住民税

　住民税は、前年の所得に対して課税されます。会社が各従業員の居住する市区町村に通知した前年の年間所得から、市区町村が住民税を算出し会社へ連絡します。その1年間の金額を、12か月に分けて計算し、6月から翌年5月までの給与から徴収されます。

▶会社が従業員に給与を支払う際、あらかじめ差し引かれた従業員の所得税分は、会社が預かり、翌月の10日までに税務署に納付することになっています。これを源泉徴収制度といいます。

▶扶養控除
扶養親族の人数、状況に応じた控除です。

▶雑損控除
災害や盗難などで被害を受けた場合の控除です。

第2編

6

▶確定申告
1月1日から12月31日までの1年間の所得金額と税額を算出し、翌年の2月16日から3月15日までに税務署に書面または電子申告（e-Tax）で提出します。

▶個人事業主とは、株式会社などの法人を設立せず、個人で事業を行っている人をいいます。

7 現金取引と信用取引

❶ 現金取引と信用取引

取引には、現金取引と信用取引の2つがあります。

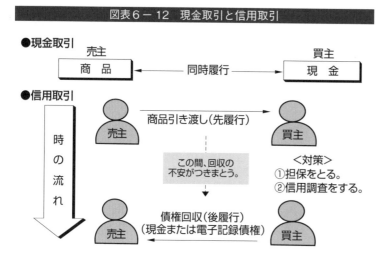

図表6-12　現金取引と信用取引

（1）現金取引

　商品やサービスの提供と引き換えに現金を支払う（受け取る）取引です。コンビニエンスストアやスーパーなどでの買い物は、現金取引の典型です。

▶現金取引の利点は、日銭が入り、回収不能の心配がない点です。

（2）信用取引

　会社対会社の取引では、商品やサービスを先に提供して、あとで代金を受け取る信用取引が日常的になっています。

　たとえば、毎月末締めの翌月10日現金支払いという条件で、3月15日に商品を販売したとします。この場合に販売したほうは、帳簿上に売掛金として計上し、翌月の4月10日に現金また

は電子記録債権で債権（売掛金）回収を行うことになります。

❷ 信用取引の注意点

　信用取引では、買主は商品を先に受け取りながら支払いはあとでよいため、現金取引に比べて購入可能金額が増加します。しかし、取引額が大きくなると、支払いが不能になった場合、先に商品・サービスを提供した側（債権者）の被害額も大きくなります。そのため、信用取引では、「取引先に不動産（土地・建物）などの資産がどれだけあるのか」「収入がどれだけあるのか」「借金など債務はどのくらいあるのか」という3点についての調査（信用調査）が大事になります。

❸ 電子記録債権

　電子記録債権は、債権を電子化した新しい形態の金銭債権で、電子債権記録機関の記録原簿に電子的に記録されることにより発生・譲渡されます。これまで紙の手形や小切手が使用されてきましたが、2026年度末までに廃止される予定です。紙の手形や小切手は紙媒体を使用するため作成・交付・保管に要するコストや盗難・紛失のリスク、二重譲渡のリスクがありましたが、電子記録債権は、権利内容を電子的に記録するため、このような問題が解消または軽減されます。

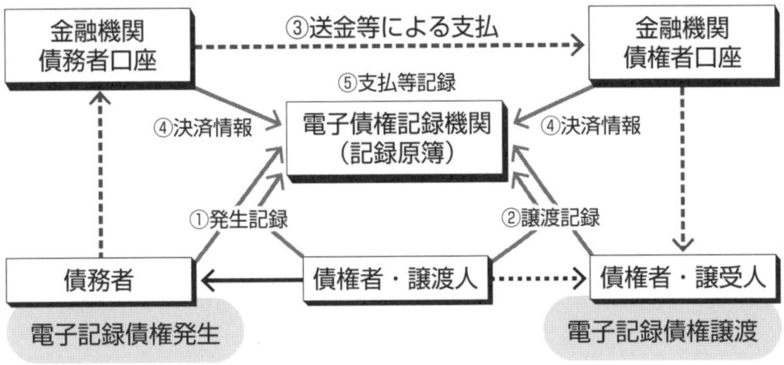

▶でんさい

　でんさいとは、全国銀行協会が設立した株式会社全銀電子債権ネットワーク（通称 でんさいネット）が取り扱う電子記録債権です。銀行などの窓口金融機関と契約して利用することができます。

図表6－13　電子記録債権の取引の流れ

1 日本経済の基本構造の変化とバブル経済の影響

❶ 第二次大戦後の日本の主力産業の移り変わり

　日本の産業は、時代の移り変わりとともにその主役を交代させ、発展をとげてきました。めまぐるしく入れ替わってきた戦後の主力産業の変遷は、産業構造にも大きな変化をもたらしました。

図表 7 − 1　日本の産業の変遷

第二次大戦後	●極端に不足した食物とエネルギーを確保するための石炭、電力、肥料が、荒廃した日本の復興を先導する。
1950年代	● 1950 年に朝鮮戦争が勃発して、特需が発生する。 ●欧米先端技術の積極的な導入と旺盛な設備投資により、繊維・食品・電機などの産業が急速に進展する。 ● 1950 年代後半には、"三種の神器"と呼ばれた洗濯機、冷蔵庫、白黒テレビなどの家電製品が家庭に普及する。
1960年代	●大規模な設備投資と技術革新により、鉄鋼・造船・自動車・石油化学など重厚長大産業が発展する。 ●欧米諸国から奇跡といわれるほどの高度成長を果たす。
1970年代	●石油危機（オイルショック）で経済環境は一変し、国民総生産（GNP）がマイナスに転じる。 ●産業界は省エネ、省資源、省力化を合言葉に経営努力を重ね、日本製品の国際競争力強化に成功する。 ●ウォークマンやクオーツ時計に代表される画期的な製品の開発により、輸出が急増。世界最大の貿易黒字国となる。
1980年代	● 1980 年に日本の自動車生産台数は、米国を抜いて世界第 1 位となる。 ●日本は輸出大国となり、これにより欧米諸国との間で貿易摩擦が激化する。 ●プラザ合意により急速な円高が進行。円高抑制のためにとった低金利政策などによりバブル経済となる。
1990年代	●バブル経済が崩壊。一般企業のみならず金融機関などの経営破たんも相次ぐ。 ●コンピュータやインターネットによる情報技術（IT）が急速に普及して、社会を変える"IT 革命"が進む。
2000年代	●レジャーやサービスにお金を使うコト消費を重視する傾向が強まる。 ●インターネットが普及し、それに関連した IT 産業が成長する。 ●韓国や台湾などの新興国の企業が台頭。先端技術分野において日本製品は国際競争力の強化を迫られる。
2010年代	● IT 産業では、GAFA の台頭に代表されるグローバル化と寡占化が進む。 ●ネットショップの利用が増加し、デパートが閉店するなど小売業が苦戦する。 ●訪日外国人誘致を進め、訪日外国人数 3000 万人、国内消費額 4 兆円を突破。
2020年〜	● 2020 年新型コロナウイルス流行により、飲食業、観光業を中心に大きな打撃を受ける。一方巣ごもり消費により、ネットショップの利用は加速し、食料品、ゲーム、動画配信などの消費が増える。 ●ロシアのウクライナ侵攻、コロナ禍からの正常化、歴史的な円安により、インフレーションが発生。物価高騰が進む。

❷ 円高とバブル経済の影響

（1）バブル経済の発生と崩壊

　1985 年のプラザ合意と呼ばれる先進国間の合意により、日本は深刻な円高に直面しました。しかし、輸出中心から内需拡大への転換、安価な労働力確保のための生産拠点の海外移転、素材や製品の輸入への切替えなどを進め、日本は円高を乗り越えました。

　一方、円高対策として実施された超低金利政策と、円高防止のためのドル買いによるマネーストックの増大に、円高を乗り越えた産業界の活況が重なり、株価の高騰や大都市を中心とした土地価格の急騰が起こり、バブル経済が発生しました。

　過熱したバブル経済をおさえるため、1990 年代に 2 度にわたって公定歩合が引き上げられた結果、株価や土地価格が一気に急落し、バブル経済が崩壊しました。多額の借入れをした会社は過剰負債に陥り、金融機関は巨額な不良債権を抱え込みました。そのため、大手金融機関や一部上場会社などの整理や倒産が相次ぎ、さらには中小企業の連鎖倒産も多く発生しました。

（2）バブル経済崩壊から現在までの日本経済

　深刻な不況に直面した企業は、事業構造の見直しや、仕事の効率化を進めました。また、工場の海外移転や安価な輸入製品の増加を進めたことが国内産業の空洞化を広げ、深刻な雇用不安を招きました。

　こうしたなかで 1997 年に消費税が引き上げられたことが追い打ちとなって、消費者の購買意欲が完全に冷えこみ、低価格志向となった結果、物価の下落（デフレ）が発生しました。

　その後、政府主導による金融機関の不良債権処理、輸出の増加などで、景気が回復する場面も見られました。2008 年のリーマンショックや 2011 年の東日本大震災で日本経済は低迷したものの、円安による輸出増加、インバウンド消費の増加などにより景気が回復しましたが、2018 年からの米中貿易摩擦、2020 年新型コロナの流行と回復、インフレ発生など、世界的に経済の先行きが不透明になっています。

▶マネーストック
日本銀行を含む金融機関全体から経済全体に対して供給される通貨の量がどのくらいなのかを見るための指標です。日本では 2007 年まで統計名称がマネーサプライとなっていました。

▶少子高齢化で増加する社会保障費の財源として 2014 年 4 月に消費税が 8％に引き上げられました。それに伴う個人消費の低迷からの回復を待って、2019 年 10 月に再び消費税が 10％に引き上げられました。この際、消費への影響を抑える為、食品を中心とした軽減税率が導入されました。2019 年の増税分は、待機児童の解消、幼児教育の無償化、新たな高等教育の修学支援制度など子育て・教育支援の財源にも充てられます。

▶バブル崩壊から 20 年以上にわたる経済の低迷は、失われた 20 年などと呼ばれています。

第2編

7

2 経済のグローバル化と社会構造の変革

❶ 経済のグローバル化による国際的な大競争の時代

　1995 年に世界貿易機関（WTO）が発足すると、GDP 世界第2 位の経済大国となっていた日本は、もはや自国の経済への強い保護政策は許されず、貿易自由化や規制緩和を進めざるを得なくなりました。結果、巨大資本と最新情報システムをもつ外資企業との競争に直面し、金融機関などの大手企業同士は生き残りのため、競合他社との合併・買収・統合（M＆A）などの再編を進めました。人員の削減を伴うリストラによる合理化と、知識、技術重視の経営への変化により、多くの会社の業績が改善しました。

❷ 新興国の台頭と為替レートで揺れ動く企業の対応

　近年、韓国、台湾、中国などの企業が、電気・電子機器の分野で世界市場を席巻しています。これは日本企業が低賃金の労働力を求めて、生産工場や技術を海外移転した結果です。そこで日本企業は、研究成果や生産技術などの海外流出を防ぐため、高付加価値製品の生産工場を日本国内に新設する動きをみせました。しかし、その後、欧米の経済危機が深刻化してさらなる円高になり、輸出企業は多くの利益と製品価格の国際競争力を失います。企業の海外移転が加速した結果、技術流出だけでなく、産業の空洞化や失業者の増加につながりました。

　その後、米国の景気回復や日銀の金融緩和策など、さまざまな要因により、再び円安に戻りました。輸出は若干回復しましたが、一方で円安により輸入品のコストは上昇しています。このように、

▶経済のグローバル化に対応するため、社内の英語公用語化や、若手社員全員を対象とした海外駐在・留学プログラムの実施などに取り組む企業が増えています。

▶経済グローバル化への対応のほか、環境問題への対応が世界的な課題となっており、温室効果ガス削減に貢献する太陽光発電や電気自動車などが急速に普及しています。

▶さまざまな分野で特許をとる高付加価値な原料や素材が開発されました。青色発光ダイオードやカーボンナノチューブ、PPT（ポリトリメチレンテレフタレート）などの例があります。

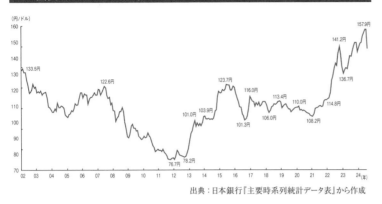

図表7－2　2002年～2024年8月までの為替レートの推移

出典：日本銀行『主要時系列統計データ表』から作成

全体の舵取りが困難な局面が続く中、働く女性の活躍の推進、各種自由貿易協定交渉への参加、クールジャパン戦略の推進などで、再び日本経済の競争力を高める試みが続けられています。

❸ 情報技術の進展と企業のあり方

IT技術の進展は、地域に関係なく、圧倒的な低コストや、高い生産性の発揮を可能にし、ビジネスや会社組織を変革しました。先進国と新興国が激しい競争を繰り広げるグローバルな市場では、企業には高品質だけでなく、コストとスピードでも優位性が求められています。IoT、ビッグデータ処理、AIなどの新技術により、さらに高度な予測や自動化が進む中、新技術を活用して企業の生産性や商品やサービスの価値を上げ、競合との差別化に活かすことが重要となります。

また近年ではCSR（企業の社会的責任）の範囲が広くなっています。SDGs（持続可能な開発目標）が2015年9月の国連サミットで採択されて以降、企業にもSDGsに対して具体的な取り組みが求められています。SDGsにはCO_2排出量削減などの環境対策だけでなく、貧困・飢餓・教育など人道的、社会的な取り組みも含まれます。これらの問題に積極的に取り組む企業を株主（投資家）の視点で評価するESG投資も浸透してきています。

▶**為替レート**
一国の通貨と他国の通貨との交換比率のことで、為替相場ともいいます。例えば、1ドルが100円から110円になった時は円の価値が安くなり円安（ドル高）、90円になった時は円の価値が高くなり円高（ドル安）といいます。現在の変動相場制では、貿易バランス、政治、投機的な動きなどさまざまな要因に影響されて変動します。

▶**クールジャパン戦略**
漫画に代表されるポップカルチャーや食文化、伝統芸能などの日本文化を産業化し、国際展開を図っていく戦略のことをいいます。

▶**SDGs（持続可能な開発目標、Sustainable Development Goals）**
「誰一人取り残さない」持続可能で多様性と包摂性のある社会の実現のための2030年までの国際目標です。17のゴール（①貧困②飢餓③保健④教育⑤ジェンダー⑥水・衛生⑦エネルギー⑧成長・雇用⑨イノベーション⑩不平等⑪都市⑫生産・消費⑬気候変動⑭海洋資源⑮陸上資源⑯平和⑰実現手段）が設定され、全ての国に適用されます。

第2編

7

確　認　問　題

（1）アイスクリーム店での販売促進活動に該当する PDCA サイクルの組み合わせとして、適切な
　　ものを選択肢から選べ。

①新商品のポスター掲示、POP 作成、店員の声掛けなどにより、店舗で新商品の販売を推進する。

②1週間ごとに販売実績を集計し、既存商品と新商品の比率や全体の売上額を調査する。

③直近の販売実績から2つの味を選べる商品の売上が好調なので、味を3つまで組み合わせて選べ
　る新商品を企画する。

④お客さまへの声掛けの反応や販売促進の成功事例を従業員の間で共有して、新商品の販売増加を
　目指す。

【選択肢】

	①	②	③	④
ア.	Do	Check	Plan	Act
イ.	Check	Plan	Act	Do
ウ.	Act	Do	Check	Plan

第1章4 マネジメントの基本は PDCA サイクル［令和4年度前期問題問3（2）］

（2）次の議事録の記載事項に関する記述中の　　　　　　に入れるべき字句の組み合わせとして、
　　適切なものを選択肢から選べ。

　　議事録は、上司や　①　が会議の結果を確認し、資料として保存するために作成する。討
議の内容は、要旨をまとめて簡潔に記録し、結論に至った理由や根拠も記録し、質疑応答の内容は
要約を記載する。また未決定の事項や　②　があれば明記しておく必要がある。さらに、決
定事項に関する　③　と　④　までの行動目標を記載する。

【選択肢】

	①	②	③	④
ア.	出席者	保留事項	出席者の役割分担	次回会議
イ.	出席者	特記事項	承認方法	作業終了
ウ.	欠席者	特記事項	承認方法	次回会議
エ.	議長	保留事項	出席者の役割分担	作業終了

第2章1　議事録作成の基本［平成26年度後期試験 問2（3）］

（3）データ分析による将来の予測に関する記述の正誤の組み合わせとして、適切なものを選択肢から選べ。

①卸売業のE社では、製品ごとの原価と生産数量の推移をグラフにまとめて顧客満足度の分析を行い、品揃えの見直しに活用している。

②小売業のF社では、費用を固定費と変動費に分けて利益図表を作成し、損益分岐点を予測して収益の改善を行なっている。

③レストランG社では、売上を曜日や天気、近隣のイベントの有無と共に分析し、そのデータを今後の売上予測と食材仕入れの判断に活用している。

④製造業H社では、品質検査の結果の情報をグラフにまとめることで、標準値からはずれた異常値の発見を容易にして、異常値に注目することによって、将来の品質検査データの予測を行っている。

【選択肢】

	①	②	③	④
ア．	誤	正	誤	正
イ．	正	誤	正	誤
ウ．	誤	正	正	誤

第3章4 データ分析と将来の予測 ［令和4年度後期問題問3（3）］

（4）損益分岐点売上高に関するグラフについて、空欄①〜④に入れるべき語句の組み合わせとして、適切なものを選択肢から選べ。

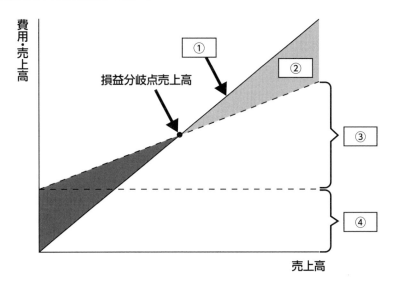

	①	②	③	④
ア.	費用	損失	固定費	変動費
イ.	売上高	利益	変動費	固定費
ウ.	費用	損失	変動費	固定費
エ.	売上高	利益	固定費	変動費

第5章2 売上・コスト・利益 ［令和元年度後期問題問4（1）］

（5）次の意匠権と商標権に関する記述中の _____ に入れるべき字句の組み合わせとして、適切なものを選択肢から選べ。

・ ① 権とは、ある物品の特有な形状、模様、色彩、およびその組み合わせを、独占的に所有できる権利である。

・ ② 権とは、自社および自社製品を他社と区別するための文字、図形、記号、色彩などの特定の結合体を、独占的に所有できる権利である。

・この双方の権利は、法律上 ③ に属しており、特許庁への申請が必要になる。

【選択肢】

	①	②	③
ア.	意匠	商標	知的財産権
イ.	商標	意匠	実用新案権
ウ.	商標	意匠	知的財産権

第6章1 ビジネスの基本となる法律［平成27年度後期試験 問2（4）］

【解答】（1）ア （2）ア （3）ウ （4）イ （5）ア

特別講義

社会で活躍するために必要な知識

この章の内容

　社会の現場で活躍していくためには、論理的思考と経営視点が欠かせません。論理的思考は客観的な視点から物事を整理して気づきを与え、日々起こる問題の解決を可能にします。また経営を中長期で捉える視点は自分の仕事の判断や意思決定につながります。こうした能力を身につけるための手始めとして、まずは問題解決の方法やSWOT分析、会社数字の読み方を理解しましょう。

問題解決の力

❶ なぜ問題解決の力が必要なのか

　皆さんにも、トラブルに巻き込まれたり、計画が思い通りに進まず悩んでしまったりした経験はあるでしょう。人は誰でも仕事を進めるうえで、大なり小なり問題を抱えているものです。

　社会で活躍する皆さんは、1日のうち、多くの貴重な時間を仕事に割くことになります。仕事は、隠れている問題を発見し、解決していく作業の連続です。適切に問題解決をできなければ、スムーズに仕事を進めることはできません。

　問題にぶつかったときに、自分の頭で考え、対処できれば、自分自身の力で乗り越えていくことができます。そうした経験を積み重ねることにより、問題解決力が向上することで解決の速度が上がり、さまざまな状況においても仕事を進められる力が身についていきます。

　そのため、問題にぶつかったときには、自分の頭で考えて対処していくことが重要なのです。

❷ 問題解決のためにはまず問題発見をすること

（1）問題の定義

　まず、問題を発見できなければ問題を解決することはできません。問題とは、「あるべき基準と現状とのズレ」ということができます。図表1を参照してください。

図表1　問題の定義

＋　あるべき基準

ギャップ

この差が問題の
大小になる。

スタート

重大な問題、深刻な問題は、図表1の「差」を埋めることが難しいといえます。

（2）問題発見

問題発見をするとは、あるべき基準と現状とのズレをしっかり認識するということです。

【問題の例】
・企画書の年間提出目標数に対して、実際に制作した提出数のズレ
・家族で決めた貯金額に対して、実際の貯金額とのズレ

問題を発見するには、実際の当事者の視点から現状をしっかり調査・観察することが必要です。

❸　問題解決の流れを知る

「今起こっている問題とは何か」を認識できれば、具体的にするべきことが見えてきます。問題を解決しようとやみくもに行動してはなりません。問題解決のために何をすべきなのか実行する前に、つぎのような基本的な流れを理解しておくことが大切です。なお、問題解決の手順は、つきつめていくと、問題の性質によって違います。個人・グループでの実施方法などによっても異なります。

特別講義
**問題
解決**

【問題解決の作業の流れ】
①　問題認識　　　　　　　（どこに問題があるのか。）
②　問題分析・原因分析　　（なぜ問題が起こったか。）
③　対策決定　　　　　　　（どのように解決するか。）
④　実行　　　　　　　　　（実際に問題解決を具体化）
⑤　対策評価　　　　　　　（さらにつぎの対策を考える）

---

❹ 問題解決に役立つポイント

（1）問題認識

【問題を認識するためのコツ】
- ●相手の立場に立って考える
  - →自分の考えとは異なった視点で問題を見ることができる。自分と相手の双方の立場から分析する。
- ●問題を定量化（数値化）する
  - →問題の大小を明確にあぶりだす。層別に分析することで、問題のある場所が把握しやすくなる。
  - →**数値化のメリット**：人による解釈の相違が出ない。スケールが実感しやすい。比較しやすい。
- ●複数ある問題には優先順位をつける（重要度・緊急度）
  - →2つの視点を組み合わせ、分析することが重要。
- ●時系列で考える・ゼロベースシンキングをする・事実と意見に分ける
  - →**時系列で考える**：（例）いつから売れているか、売れなくなったか、前年比較など。
  - →**ゼロベースシンキングをする**：先入観や思い込みがあると、正しい問題認識ができなくなるおそれがある。
  - →**事実と意見に分ける**：明確な事実と自分の思い込みや意見を分けて考える。論理の飛躍や隙を生む要因になる。

（2）問題分析・原因究明

【問題分析・原因究明のコツ】
- ●問題をわかりやすく表現する
  - →問題内容、原因、目標値、現状、制約条件などをリストアップし、明確にする。
  - →特に目標を決定することは問題解決のために重要。目標達成で、どの程度問題解決がなされるかを確認。
  - （**目標設定**：評価指標（実数と比率）、現状値（今の状態）、目標値、達成期限をはっきりさせる）
- ●原因・結果の関係を分析する
  - →目標と現状のズレに対する原因を把握する。一般に問題は複数の要因からなるので、要素を切り分けて、原因と結果の関係を推測、検証する。
  - →原因の分析方法：箇条書き、特性要因図、ロジックツリーなどの問題解決ツールの使用が有効。

（3）対策決定・実行

【対策を決定し、実行するためのコツ】
●問題を引き起こす原因に対して、問題解決策を考える
　→解決策を思いつく限りリストアップする。
　→解決策ごとに効果をはかり、プラス面、マイナス面から影響力をはかる。

（4）対策評価

【対策を評価する際のコツ】
●本当の問題解決を望むなら、対策評価に力を入れる
→対策を実施した後、問題解決がなされたか、結果として改善されたか、効果があったか
　について評価。
●対策評価後に見直す
→解決手順が終了しても、もう一度問題について見直す。

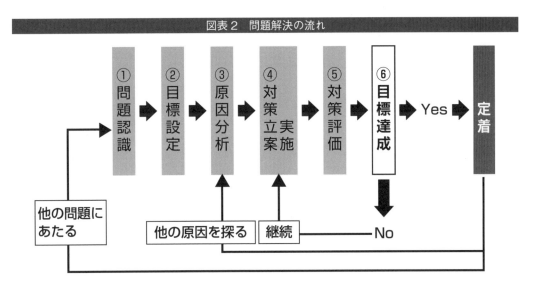

図表2　問題解決の流れ

特別講義
問題
解決

　問題解決の手順がいったん終わっても、問題について見直すことで、積み残しを見つけ
られたり、新たな他の問題を発見したり、対策を実行できたりすることにつながります。

❺ 問題解決するための手法（思考法、ツールの紹介）

ここでは問題解決の質を高め、また、効率性アップに役立つ、頭の使い方や実際のツールについて紹介します。

（1）ビジネスで主に使われる思考法　ロジカルシンキング

ロジカルシンキングとは、論理的に物事をブレイクダウン（要素分解）する垂直思考です。複雑で大きな問題を前にしたとき、「単純な単位に問題を切り分けるにはどうしたらよいだろう」というように、一つひとつ地道に考えていきます。アプローチとして演繹法と帰納法があります。

（出典：吉澤準特著『ビジネス思考法使いこなしブック』日本能率協会マネジメントセンター）

ロジカルシンキングは、根拠や理由を明確にし、筋道を立てる考え方です。思考法の王道としてビジネスシーンや日常生活でも活用されます。問題解決において基本的なもち札になります。

> 【論理的思考力を高めるためのヒント】
> ●問題を意識し、解決策をつくり出す道筋を考える。
> ●常に多角的な角度で考え続ける。（例）今はできない→本当にそうか？→今日はできないが明日ならできる。
> ●健全な疑いの目をもつ。
> ●相手の分析と自分の分析を相互に進める。

（2）ビジネスで役立つ代表的な発想法やフレームワーク

①ブレーンストーミング

グループによる発想法。自由奔放に発言し、批判を禁止し、量を出す。他人の発想の違いに便乗し、発展させていくことに注意して行います。多くのアイデアをつくり出すのに適しています。

②ロジックツリー

問題の原因追究などのために、ＭＥＣＥの考え方にもとづいて、論理的に階層化し、ツリー状に分解・整理する解決方法のこと。

MECE（Mutually Exclusive and Collectively Exhaustive）
「相互に重なり合わずもれなく集める」の意味。問題がどこにあるのかを絞り込む場面や課題に対して解決策を考える場面などに用いられる。

図表3　MECE の例

①MECEに把握できる例
サンドイッチ店チェーン

	オープン ～12時	～16時	～20時
A店			
B店			
C店			

②相互に重なり合っている例

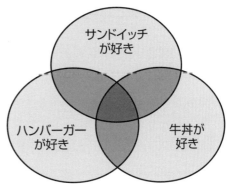

図表4　ロジックツリーの例

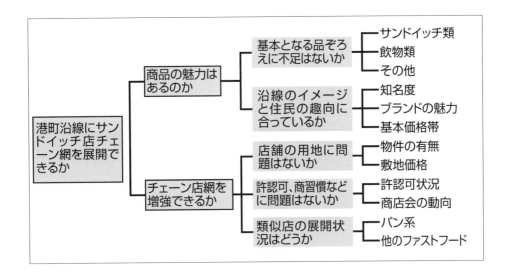

SWOT分析

❶ SWOT 分析とは何か

　企業が経営理念、経営方針に沿った経営目標を設定する場合、単に売上高や利益などの数値目標を決めるだけでは十分ではありません。事業を取り巻くさまざまな要因を分析して、具体的な経営戦略を練る必要があります[※1]。そのようなときに役立つのがSWOT 分析[※2]といわれる手法です。

　SWOT 分析とは、会社が自社の強み・弱み、事業を取り巻く機会、脅威の4つの要因を軸に、目標達成のための戦略や対策を練るためのツールで、自社の事業に関して以下のような質問を投げかけながら、分析を進めていくものです。

> ・自社が活かすべき強みにはどのようなものがあるのか。
> ・自社が克服すべき弱みにはどのようなものがあるのか。
> ・自社が捉えるべき事業機会にはどのようなものがあるのか。
> ・自社が回避すべき脅威にはどのようなものがあるのか。

　このような質問に答える形で、自社の強み・弱みといった内部環境と、市場や顧客獲得の機会、脅威といった外部環境を分析し、図表5のような2×2のマトリクスにしてまとめていきます。

図表5　SWOT 分析の例（蓄電池メーカーの場合）

	自社（内部環境）	市場（外部環境）
プラス面	**強み（Strength）** 高性能で安全性に優れた蓄電池を製造できる高い技術	**機会（Opportunity）** 世界的な脱酸素社会への取り組みで増大した電気自動車に使用する蓄電池需要の増加
マイナス面	**弱み（Weakness）** 原材料の国外依存と競合企業に劣る価格競争力	**脅威（Threat）** 新興国企業の台頭とその市場シェアの拡大

▶（※1）経営理念から経営戦略までの流れについては、24ページ「経営理念と経営戦略」を参照してください。
▶（※2）強み、弱み、機会、脅威を表す Strength、Weakness、Opportunity、Threat のそれぞれの頭文字をとって、SWOT 分析と名づけられています。

SWOT 分析を行うことで、自社の状況をより客観的に把握することができ、強みを活かし機会をとらえ、弱みを克服し脅威を回避するための具体的な戦略を考える手がかりを得ることができます。

② クロス SWOT 分析と戦略の立案

ＳＷＯＴ分析が優れているのは、自分たちが何をすべきかを考えることができることにあります。具体的には以下のようなことを考えながら、戦略、対策を考えていきます。

具体的には以下のようなことを考えながら、戦略、対策を考えていきます。

```
・強みと機会の交点  →  積極的な対策
・強みと脅威の交点  →  差別化のための戦略
・弱みと機会の交点  →  段階的な施策
・弱みと脅威の交点  →  専守防衛または撤退
```

このような分析を SWOT のクロス分析と呼び、先ほどの蓄電池メーカーの SWOT をクロス分析に発展させると、図表6のようなより具体的な戦略を導くことができます。[※3]

図表6　蓄電池メーカーのクロス SWOT 分析の例（蓄電池メーカーの場合）

		市場（外部環境）	
		機会	脅威
		世界的な脱酸素社会への取り組みで増大した電気自動車に使用する蓄電池需要の増加	新興国企業の台頭とその市場シェアの拡大
自社（内部環境）	強み　高性能で安全性に優れた蓄電池を製造できる高い技術	積極的対策　　　　　　　　　　　　自社の強みで取り込める事業機会の創出　高価格帯の電気自動車向けに、より高性能で安全性に優れた蓄電池の開発	差別化戦略　　　　　　　　　　　　自社の強みで脅威を回避あるいは事業機会の創出　技術的な難易度が高く新興国企業が参入困難な電気飛行機などの新市場への参入
	弱み　原材料の国外依存と競合企業に劣る価格競争力	段階的施策　　　　　　　　　　　　自社の弱みにより事業機会を取りこぼさないための対策　原材料のサプライチェーン多様化　価格性能比で競合企業に対抗できる製品の開発	専守防衛または撤退　　　　　　　　自社の弱みと脅威により最悪の事態を招かないための対策　低価格帯の電気自動車用の低価格蓄電池市場からの撤退

日頃から、自社や自部門の強み、弱み、自分が働く業界の機会、脅威を考えながら業務にあたると、実際に戦略を立てる際に、より有効な SWOT 分析を行うことができます。

▶（※3）蓄電池メーカーの例においても、適切に SWOT を抽出してクロス分析を行うと、企業の経営理念、経営方針、経営目標達成のために、蓄電池の高付加価値化および高価格帯市場へのシフトが適切な経営戦略であることを、合理的に導き出すことができます。

特別講義
SWOT
分析

会社数字の読み方　貸借対照表・損益計算書・給与明細の基礎知識

❶ 貸借対照表・損益計算書を理解しよう

　貸借対照表と損益計算書は財務諸表と呼ばれ、会社の経営を理解するための重要な書類です。貸借対照表は期末の会社の財政状態を示しています。損益計算書は毎期の経営成績を明らかにしています。

（1）貸借対照表（Balance Sheet）

　B/S と略されます。会社を取り巻く利害関係者、特に債権者にとって重要な書類です。

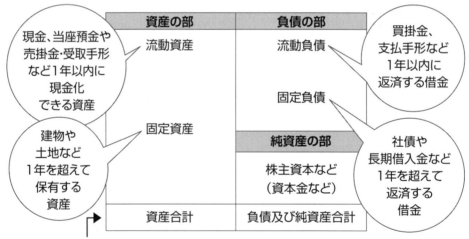

資産合計と負債及び純資産合計は一致する。

資　産：現金、当座預金、売掛金、電子記録債権など、1 年以内に回収する流動資産と 1 年を超えて保有する固定資産に分けます。

負　債：会社の借金で、買掛金、電子記録債権など、1 年以内に返済する負債からなる流動負債と、1 年を超えて返済する固定負債に分けます。

純資産：資産から負債を引いた金額で、会社の実際の価値を金額で表した数値の 1 つ。資本金や利益の蓄積（利益剰余金）などの株主資本が主な内容。

資産・負債をそれぞれ流動資産、固定資産、流動負債、固定負債に分けることで、会社の資金繰りを分析するうえで役立ちます。

資産が大きければ大きいほど、会社の規模は大きくなります。負債と純資産とのバランスがよいほど、その会社の財務は安定しているということになります。

（2）損益計算書（Profit and Loss Statement）

P/L と略されます。会社を継続していくためには利益を獲得することが必要なので、損益計算書を確認して経営活動の成果としての利益を把握します。

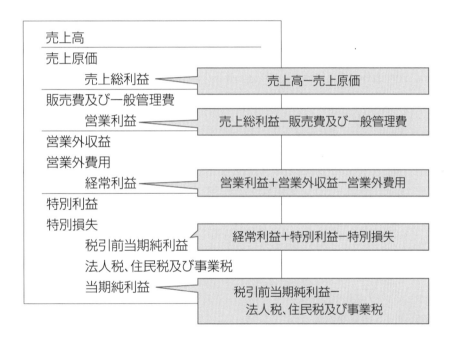

利益は活動ごとに分けて表示します。会社には商品・サービスを生み出す本業からの収入と不動産賃貸や保険の手数料など本業以外からの収入があります。損益計算書には、それぞれの収入・費用を算出し、利益の有無を明らかにする役割があります。

利益が多い会社の活動は順調で、損失が多い会社は活動に何か問題があります。損失が続けば会社の存続が危うくなり、会社は利益を出さなければなりません。

利益が出ていても、材料購入・設備導入・給料支払いなど出費のタイミングにより、現金が不足することがあります。現金が不足しないような管理も必要となります。

特別講義
会社
数字

❷ 給与明細の読み方

　会社の一員として働くようになれば、労働の対価として給与を受け取ることになります。給与の内訳が書かれた書類が給与明細です。給与明細には、その月の支給総額や税金、会社からの手当て、福利厚生により差し引かれる金額などの詳細が明記されています。詳細は下記を参考にしてください。給与明細の中身を詳しく見ていくことで、各種手当の内容など会社が自分のためにどのようなサポートをしているか、また、自分の給与の一部が会社のどのような活動に使われているかといった、会社にまつわる数字を理解することができます。

図表 7　給与明細の例

稼動時間	普通残業	深夜残業		
	6.30	0.00		
	休日稼動	休日普通残業	休日深夜残業	
	0.00	0.00	0.00	

支給	基本給	上級職手当	幹部手当		食事手当1	住宅手当				
	170,000	0	0		10,000	20,000				
							課税通勤手当	非)通勤手当		
							0	0		
	普通残業手当	深夜残業手当	休日手当							支給合計
	9,750	0	0							209,750

控除	健康保険	厚生年金保険	雇用保険	社会保険計	課税対象額	所得税	特別減税年調	住民税	親睦会費	
	9,480	16,412	1,259	27,151	182,599	4,040	0	0	0	
	財形貯蓄	団体保険								
	5,000	0								
	扶養人数						差引支払額	振込金額		控除合計
	0						173,559	173,559		36,191

（1）給与総額（支給総額）

　年間給与総額は、月例給与・賞与（ボーナス）・一時金に分けられます。さらに、月例給与は基本給と諸手当（通勤手当・家族手当など）に分けられ、ほかに時間外勤務手当など、毎月その額が変動する賃金が加わります。

（2）差引支給額

　給与明細書には、支給額と控除額が記されていて、支給総額から控除額を差し引かれた額が実際の支給額ということになります。支給総額から控除されるものは、社会保険料（健康保険料・厚生年金保険料・雇用保険料など）、税金（所得税・住民税）、その他（労働組合費・社宅使用料など）です。

特別講義　社会で活躍するために必要な知識

確認問題

（1）次の「ロジカルシンキング」に関する記述中の　　　　　　に入れるべき字句の組み合わせとして、適切なものを選択肢から選べ。

　ロジカルシンキングは、対象となる物事を論理的に　①　によってブレークダウン（要素分解）する思考方法である。複雑で大きな物事を、単純な要素に切り分けて考察する。考察のアプローチの方法として、　②　と　③　がある。　②　は、普遍的な前提から個別的な結論を得る方法であり、　③　は、個別の事実から普遍的な規則や法則を見つけ出す方法である。

【選択肢】

	①	②	③
ア.	垂直思考	演繹法	帰納法
イ.	垂直思考	帰納法	演繹法
ウ.	水平思考	演繹法	帰納法

問題解決の力［平成 27 年度後期試験 問 4 （4）］

（2）ある会員制スポーツクラブの売上が減少してきた原因を明らかにするために、ロジックツリーを作成した。空欄 a～c に入れるべき字句の組み合わせとして、適切なものを選択肢から選べ。

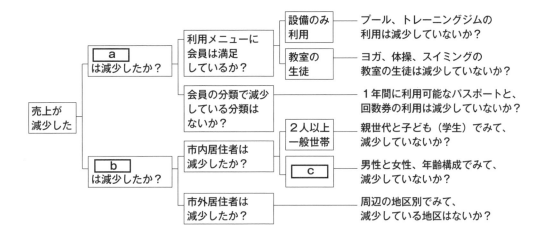

	a	b	c
ア．	会員単価	会員数	単身世帯
イ．	会員単価	会員数	高齢者世帯
ウ．	会員数	会員単価	単身世帯

問題解決の力［平成29年度前期試験 問3（4）］

（3）ブレーンストーミングの特徴として、適切なものを選択肢から選べ。

【選択肢】

ア．問題解決に貢献すると思われるアイデアを熟慮してから慎重に発言する。

イ．他の人の発言が自分の意見と異なるときは率直に批判してもよい。

ウ．発言しようとする内容が本論と関連性がなくても自由奔放に発言をする。

エ．他の人の発想の違いに配慮して便乗したり結合したりする発言は差し控える。

問題解決の力［平成25年度前期試験 問4（4）］

（4）次のSWOT分析を説明した記述として、<u>不適切な</u>ものを選択肢から選べ。

【選択肢】

ア．SWOT分析は、S・W・O・Tの4つの事項を軸に、目標達成のための戦略や対策を考えるための手法である。

イ．SWOT分析のSは強み、Wは弱み、Oはビジネスの機会、Tはビジネスの成約までの所要時間である。

ウ．SWOT分析は、内部環境となる自社の状況と外部環境となる関連市場の動向について対比的に分析する手法である。

ＳＷＯＴ分析［平成26年度後期試験 問4（4）］

（5）国内で本革製品のみを製造する革靴メーカーA社について、次のＳＷＯＴ分析表でa～dに入れるべき①から④の記述の組み合わせとして、適切なものを選択肢から選べ。

項目	自社（内部環境）	市場（外部環境）
プラス面	S（強み） ・　　　　a	O（機会） ・　　　　b
マイナス面	W（弱み） ・　　　　c	T（脅威） ・　　　　d

① 海外の人件費の上昇に伴い、海外製品の価格が上がってきた。

② 耐久性に優れた革を使用しており、長年履いても型崩れしにくい。

③ 革を多く使用しているため、他社製品より重い。

④ 防水性に優れた軽くて高品質の合成皮革靴が、安く大量に出回るようになった。

【選択肢】

	a	b	c	d
ア.	①	②	③	④
イ.	①	③	④	②
ウ.	②	④	①	③
エ.	②	①	③	④

SWOT 分析［平成 30 年度前期試験 問 3（5）］

（6）次の損益計算書の①～③に入れるべき値の組み合わせとして、適切なものを選択肢から選べ。

（単位：百万円）

売上高	1,200
売上原価	500
売上総利益	
販売費および一般管理費	400
営業利益	①
営業外収益	20
営業外費用	30
経常利益	②
特別利益	40
特別損失	100
税引き前当期純利益	③
法人税、住民税および事業税	110
当期純利益	

図　損益計算書

（注）網掛け部分の金額は表示していない。

【選択肢】

	①	②	③
ア.	300	290	230
イ.	1,100	1,090	1,030
ウ.	1,300	1,290	1,230

会社の数字の読み方　貸借対照表・損益計算書・給与明細の基礎知識［平成 27 年度前期試験 問 4（3）］

【解答】（1）ア　（2）ア　（3）ウ　（4）イ　（5）エ　（6）ア

巻末資料

ビジネス用語の基本
（会社・業界に関する基本用語）

▶インサイダー取引（insider trading）

企業内の人間が、公開されていない内部の情報を利用して自社株式の売買を行うこと。これを防ぐため、1988年に証券取引法（現・金融商品取引法）が一部改正され、重要事実の公表方法や内部取引の刑事罰対象者などが明示された。

▶インボイス制度

2023年10月に導入された新しい仕入税額控除の方式で、正式名称は適格請求書等保存方式。課税事業者が税務署に申請して適格請求書発行事業者の登録をしないと、これまで可能だった仕入れに含まれる消費税を控除できなくなった。この制度の影響を緩和するため、適格請求書以外でも仕入に含まれる税額を定額控除できる経過措置が設けられている。

▶外国人労働者

人出不足が深刻化する中、外国人労働者は2023年10月末時点で前年より12.4%増加し約205万人（厚生労働省調査）となり、過去最高を更新した。業種では、製造業、サービス業、卸・小売業の順に多い。政府も外国人労働者の受け入れを後押ししており、2023年に在留期限に上限のない特定技能2号の対象分野の2分野から11分野への拡大や、外国人労働者の確保と育成を目的とした新しい制度「育成就労」を柱とする改正出入国管理法などが

2024年6月に成立するなど、受入れが拡大している。

▶可処分所得

個人所得のうち、税金や社会保障の負担を差し引いて個人が自由に使える部分。個人所得には、給与や自営業者の所得のほか、年金、株式の配当金、貯蓄の利子も含まれ、個人の購買力を測るバロメーターとなる。

▶環太平洋パートナーシップ協定（TPP：Trans-Pacific Partnership）

太平洋を取り巻く国々で、自由貿易を目的とした経済連携協定のこと。オーストラリア、ブルネイ、カナダ、チリ、日本、マレーシア、メキシコ、ニュージーランド、ペルー、シンガポール、米国、ベトナムの12か国で協議が進められ、米国の離脱を経て11か国で2018年3月にTPP11(CPTPP)協定が署名され、2018年12月に6か国について発効し、2023年7月までにすべての加入国に発効、2023年7月にイギリスが正式に加入した。

▶企業物価指数（corporate goods price index）

企業間で取引される商品の全般的な動きを示した指標のことで、従来の卸売物価指数をいい換えたもの。なお、消費者が購入する商品・サービスなどの価格の動向を示すものを、消費者物価指数という。

▶クラウドコンピューティング

利用者がいつでもネットワーク経由で大規模なサーバ上のソフトウェアやデータを利

用できるようにした方式。利用者自身が大規模なサーバを設置する必要がなく、導入スピードが速くなるなどのメリットがある。

▶**クラウドファンディング**

群衆（crowd）と資金調達（funding）を組合せた造語で、インターネットを通じて資金調達の目的や必要性を説明して、多くの人から資金を調達すること。調達費用が比較的安く、資金が潤沢にない起業家などに注目されている。

▶**グリーン購入（green purchasing）**

環境破壊防止のため、消費者や企業などが、環境に配慮した商品を優先的に購入すること。2001年4月、OA機器や自動車、文具などのグリーン購入を政府に義務づけた「国等による環境物品等の調達の推進等に関する法律（グリーン購入法）」が施行され、以降、品目の基準見直しが実施されている。

▶**景気動向指数（DI：Diffusion Index）**

景気の転換局面をとらえるための指標で、内閣府により毎月発表される。通貨残高などの先行指数、百貨店販売額などの一致指数、法人税収入などの遅行指数からなり、各指標を3か月前のデータと比較する。プラスとなった個別指標の割合をパーセンテージで示し、50%以上であれば景気は上昇傾向にあると判断される。

▶**経済協力開発機構（OECD：Organisation for Economic Co-operation and Development）**

欧州経済協力機構（OEEC）を母体として

1961年に発足した先進資本主義国の経済協力のための機関。日本は1964年に加盟した。2021年にコスタリカが加盟し、38か国となった（2024年9月現在）。

▶**コア・コンピタンス**

顧客に利益をもたらす企業独自の一連のスキルや技術などの経営資源を組み合わせた企業の中核的な能力のこと。他社が真似できず、市場で持続的な競争優位を確立する。

▶**公正取引委員会（the fair trade commission）**

独占禁止法を実施運営するための行政委員会で、準立法・準司法機関的な権限をもつ独立の機関。

▶**国際課税**

国際的に活動するグローバル企業に対して、各国がどのように課税できるかを規定した国際ルールのこと。IT企業のように国内に支店や工場などの物理的な拠点がない外国企業に対しても課税をできるルール（市場国への新たな課税権の配分）と、グローバル企業誘致のために各国の引下げ競争が過熱している法人税の最低税率を15%とする（グローバル・ミニマム課税）2つの柱が、OECDで協議されてきた。2021年のG20で合意され、国内では2023年9月にグローバル・ミニマム課税に係る法人税基本通達の一部改正が公表された。

▶**国際収支（balance of payment）**

ある国で一定期間、国境を越えて行われた経済的なすべての取引を、貨幣に換算して

集計した収支勘定のこと。①商品の貿易・サービスの提供・国外からの労働による出稼ぎ賃金などの経常収支、②海外投資などの金融収支、③これらに入らない資本移転収支の主要な3つの項目から構成される。

▶コーポレートガバナンス

企業統治と訳される。企業は誰のためにどう方向づけられるべきかについての考え方。背景には、「企業の所有者は株主で、経営者の勝手な暴走は許されない」という考えがある。実際には、企業は株主だけでなく、顧客、従業員、取引先、金融機関、地域社会など、多くの利害関係者（ステークホルダー）の参加により成り立っている。それを踏まえ、相互の利害関係を円滑に調整しながら経営を行うべきとの考え方である。

▶再生医療（regenerative medical）

ヒトの細胞の加工・培養により、組織・臓器の機能を回復させる治療。臓器移植と異なり、本人の組織・細胞をもとに培養し修復したい組織・臓器に移植することが多く、臓器提供者（ドナー）不足の問題が少ないうえ、拒絶反応が起こりにくいことがメリットである。培養皮膚・軟骨・血管・心筋などの再生は実用レベルに達している。

▶再生可能エネルギー（renewable energy）

従来の石油・石炭などの化石燃料や原子力に対し、自然環境のなかで繰り返し起こる現象から取り出すエネルギーの総称である。太陽光、水力、風力、地熱、バイオマスなど枯渇せずに繰り返し利用でき、CO_2を増加させないクリーンなエネルギーとして更なる導入が期待されている。

▶ジェンダーギャップ

社会における男女間の格差のこと。日本は、賃金や出世（管理職・専門職）などの経済面の格差、女性議員が少ないなど政治面の差が大きいとされる（世界経済フォーラム「ジェンダーギャップ指数2018」）。

▶事業承継

企業の経営者が、後任に企業の経営を引き継ぐこと。経営者の高齢化が進んでおり、2022年時点の平均年齢は63.02歳で、特に70歳以上の割合は高まり続けているが、後継者がおらず、そのまま廃業する予定の企業も多い。事業承継の準備が進まなければ、雇用だけでなく技術やノウハウが失われてしまう。事業承継は今後の日本経済の活力に関わる重要課題である。

▶自動運転技術

自動車が自動で運転する技術。交通事故の防止、物流の効率化・人手不足対策などに役立つと期待されている。自動車メーカーやIT企業が開発を競っており、全自動運転化（レベル5）の実現に向けて開発が進められている。現在は、条件付運転自動化（レベル3）の市販車が販売されるまでに至っている。日本では茨城県境町で、2020年11月からレベル4の自動運転バスが実用化されている。2023年4月1日に改正道路交通法が施行され、自動運転レベル4の公道走行が解禁された。

▶**ジョブ型雇用／メンバーシップ型雇用**

ジョブ型雇用とは、必要な時に必要なスキルや経験を持った人材を採用する欧米で主流の雇用方法である。職務が定められており、成果で評価されることが特徴である。一方、メンバーシップ型雇用とは、職務を限定せずに人材を採用する日本で主流の雇用方法である。職務は流動的で幅広く、転勤の可能性があり、勤続年数、役職、能力や成果で評価される特徴を持ち、一般的に新卒一括採用を行う。近年は、経営環境の変化が速いため、専門性を持った人材を活用するジョブ型雇用が注目されている。

▶**循環型社会（recycling-oriented society）**

環境負荷を減少させるため、限られた資源を再利用し、活用する社会。廃棄物発生の抑制（Reduce）、製品の再使用（Reuse）、再利用（Recycle）の３Rを基本とする。

▶**消費者契約法**

2001年4月に施行された、消費者が商品やサービスを購入する際に、発生する企業との間のすべての契約トラブルから消費者を守ることを目的とした法律。2017年6月、2019年6月の改正法施行により、事業者の不当な勧誘による契約の取り消しや不当な契約条項の無効が強化され、2022年6月公布の改正では、消費者被害の防止・救済がさらに強化された。

▶**食料危機**

世界の人口が増加を続ける中で、天候不順、災害、紛争、貧困や社会情勢が原因となり、飢餓が懸念される食糧不足のこと。中でも、肉や魚の供給が追いつかないことによる、たんぱく質不足が懸念されており、その解決策の１つとして注目されるのが人工肉と昆虫食である。人工肉は、植物のたんぱく質を肉のような見た目と食感に加工したもので、ハンバーガーなどで使用され始めている。昆虫食は、飼育に必要な飼料が家畜よりも少なく、その過程の環境負荷が軽いことも注目される要因である。

▶**スマートシティ（スマートコミュニティ）**

家庭・ビル・工場・交通システムなどをネットワークでつなぎ、地域でエネルギーを有効活用する次世代の社会システムである。太陽光や風力など再生可能エネルギーを最大限活用し、一方ではエネルギーの消費を最小限に抑えていく社会を目指している。エネルギーの需要と供給はEMS（Energy Management System）により、最適化される。スマートメーターは、ネットワークで接続されたデジタルの電力メーターで、EMSに必須の機器である。従来のアナログメーターからの交換が進められている。

▶**生成AI**

文章、写真や動画、音楽などさまざまなコンテンツを生成するAIのこと。入力情報を認識し判定ができる認識系AIと異なり、創造的な情報を生成することができる。2022年に公開された無料の画像生成AI「Stable Diffusion」や、文章生成AI「GPT-3.5」による「ChatGPT」などにより、生成AIは爆発的に広がった。生成AIは、ビジネスにおいても生産性の向上が期

待されるが、フェイクニュースや情報漏洩、知的財産権の対応など課題も多い。

▶脱炭素社会（carbon-free society）

地球温暖化を防ぐため、二酸化炭素の排出を大幅に削減して実質的にゼロを目指す社会。実質的にゼロとは、二酸化炭素をはじめとする温室効果ガスの「排出量」から、森林などによる「吸収量」を差し引き、合計をゼロにすること（カーボンニュートラル）を指し、日本は2050年の実現を目指している。実現には、エネルギー利用効率を高め、エネルギー需要を抑え、化石燃料から二酸化炭素を排出しないエネルギー供給技術に移行して排出量を抑え、植林などで「吸収量」を増やす必要がある。

▶地政学的リスク

地理的な位置関係がもたらす政治的、軍事的、社会的な緊張が高まるリスクのこと。最近の例では、ロシアのウクライナ侵攻があげられる。ロシアへの制裁をめぐり、北大西洋条約機構を中心とする欧米と、ロシアと中国を中心とするロシアに友好な国々との対立により、資源価格の高騰や、グローバル化されたサプライチェーンの分断などが起こり、世界的に影響を及ぼしている。

▶著作権法改正

インターネット上の海賊版対策強化などを目的として2020年6月に公布された。違法コンテンツのダウンロードや、違法コンテンツへのリンクを集めたリーチサイトが刑事罰の対象となった。AIの生成物について文化庁で検討が進められているが、現在の著作権法においても、AI生成物が著作権侵害となることがあるため、AI生成物の販売や公開に際しては類似性の確認などが必要である。

▶デジタル証券

ブロックチェーン技術を活用して電子化された有価証券。セキュリティトークン（ST）ともいう。2020年5月施行の改正金融商品取引法で「電子記録移転権利」と規定され、金融機関での取扱いが可能になった。デジタル証券は取引所に上場する必要がないため、小規模企業やベンチャー企業でも資金調達がしやすい。日本においては、まだ流通市場がなく、日本取引所グループ（JPX）などが準備を進めている。2026年に紙の手形の廃止も予定されており証券、債券のデジタル化が加速している。

▶電子帳簿保存法

経理のデジタル化促進を目的として、1998年に公布・施行された、税務関係の帳簿や書類を電子データで保存する際の扱い方を定めた法律。技術の進歩や社会のデジタル化に合わせて改正が行われてきた。2022年に多くの要件の緩和や電子取引データの電子保存義務化など大幅な改正が行われた。

▶同一労働同一賃金

職務内容や配置の変更範囲などが同じなら、正社員も非正規社員も賃金や福利厚生などの待遇を同じにするとの考え方。日本では、

2020年4月から正社員と非正規社員の不合理な待遇差が禁止され、労働者への待遇差の内容や理由の説明義務が強化された（中小企業は2021年4月から）。

▶独占禁止法

市場が少数の企業によって独占されることなく、自由な競争を確保するために、1947年に制定された。私的独占、不当な取引制限（カルテル）のほか、ダンピングや抱き合わせ販売、再販売価格の規制などの不公正な取引方法が禁止される。

▶トレーサビリティ（traceability）

製品の生産・加工・流通各段階の記録を残し、加工場所や流通経路を遡及・追跡できる方式。事故発生時に迅速な被害の拡大防止や原因究明が可能となる。日本では、2004年12月から情報の管理・公開が義務づけられた。さらに2010年10月より、米および米加工品に対し、業者間の取引などの記録の作成・保存が義務づけられ、2011年7月からは、取引先や消費者に対して、産地情報の伝達が義務化された。

▶日銀短観

企業短期経済観測調査の通称。日本銀行が四半期ごとに発表する企業へのアンケート調査結果をまとめた短期の経済観測。上場企業を対象とする主要企業短期経済観測調査、さらに中小企業を加えた全国企業短期経済観測調査がある。生産高、設備投資額、経常損益などの実績、予測などの計数と製品需給、雇用人員、価格など、企業活動全般にわたる項目について調査している。

▶バイオマス（biomass）

生物起源エネルギーの総称。例として、間伐材、おがくず、建築廃材など農産物や林産物から出る廃棄物、汚水処理場から出たゴミ、台所のゴミなど。クロレラなどの微生物や鯨なども、このなかに含まれる。環境にやさしいエネルギーとして注目され、欧州では広く普及している。

▶排他的経済水域（exclusive economic zone）

国連海洋法条約にもとづいて設定される経済的な主権が及ぶ水域のこと。領海、接続水域、排他的経済水域、公海の4分類の1つであり、沿岸国から200海里までと規定されている。

▶パリ協定

2016年に発効された2020年以降の温室効果ガス排出削減等のための新たな国際的な枠組み。2015年パリで開催されたCOP21で採択されたため「パリ協定」と呼ぶ。2020年までの温室効果ガス排出削減の目標を定める「京都議定書」の後継。京都議定書は先進国だけの温室効果ガスの削減目標を定めたが、パリ協定は途上国を含めて温室効果ガスの削減に取り組むことを約束した枠組みであり、世界各国の今後の取り組みが注目される。日本では「2050年カーボンニュートラル」実現に向けて、

2021 年 5 月に地球温暖化対策推進法が改正され、再生可能エネルギーの導入促進や企業の温室効果ガス排出量情報のオープンデータ化が進められている。

▶パワハラ防止法（労働施策総合推進法）

職場におけるパワーハラスメント防止対策を講じることを事業主に義務付けた法律。大企業は 2020 年 6 月、中小企業は 2022 年 4 月から施行される。パワハラに対する事業主の方針等を明確化して従業員に周知・啓発を行い、相談窓口などの体制を整備し、発生したパワハラに対して迅速かつ適正に対処することが義務付けられる。

▶フィンテック（FinTech）

金融（Finance）と技術（Technology）を組み合わせた造語で、最新の IT を活用した金融サービスの総称である。スマートフォンや携帯電話を利用した決済、ビットコインなどの仮想通貨、銀行口座やカード情報から支払い情報を集めて管理する家計管理、人工知能がアドバイスしてくれる資産運用など幅広いサービスが展開されつつある。これらを可能としたのは、ブロックチェーンなどの技術によるところが大きい（➡「ブロックチェーン」の項）。

▶不正競争防止法

国民経済の健全な発展を目指し、事業者間の公正な競争の促進と公正な競争を国際的に約束することを目的に、不正競争の防止、不正競争に関わる差し止め、損害賠償の措置等を講ずる法律で、食品偽装、受発注にかかわる贈収賄、違法コピー、営業秘

密の漏えいなどの行為を禁止している。また、2023 年の「不正競争防止法等の一部を改正する法律」でデジタル空間における模倣行為が防止されるなどデジタルに対する法整備も進んでいる。

▶プライム市場

2022 年 4 月 4 日に再編される東京証券取引所（以下東証）の市場区分の中で最上位の市場のこと。現在の市場区分、「東証 1 部、東証 2 部、マザーズ、JASDAQ（スタンダード、グロース）」から「プライム市場、スタンダート市場、グロース市場」に再編される。プライム市場は、市場に流通する株式の比率が 35% 以上、株式の時価流通総額 100 億円以上など東証 1 部より厳しい基準があり、東証 1 部の企業からプライム市場に移行できない企業もある。

▶プラスチック資源循環促進法

プラスチック製品のライフサイクル全般における資源循環を促進することを目的とした法律で、2024 年 4 月に施行された。プラスチック廃棄物の排出の抑制、再資源化のための環境配慮設計、ワンウェイプラスチック（一度だけ使われて廃棄されるプラスチック製品）の使用の合理化、プラスチック廃棄物の分別収集、自主回収、再資源化等が基本方針となっている。

▶フリーランス保護新法

フリーランスと企業などの発注事業者の間の取引の適正化とフリーランスの就業環境の整備を目的とした新しい法律で、2024 年 11 月に施工された。発注事業者には、

書面等による取引条件の明示や60日以内に報酬支払期日を設定し、報酬を支払うことなどが義務付けられている。背景には、フリーランス人口が増加傾向にあること、フリーランスの立場の弱さ、トラブルの多さなどがある。

▶ブロックチェーン

暗号化した取引情報を複数のコンピュータに分散して保存し、相互に監視することで、改ざんやデータ消失を防ぐ仕組み。仮想通貨の一つであるビットコインで使われており、FinTech の中核技術の1つと期待される。改ざんが困難、システムが停止しにくい、安価に構築可能との特徴があり、金融機関の決済サービスに加え、契約やサプライチェーンなどの取引の効率化につながる可能性がある。

▶ベンチャーキャピタル（venture capital）

将来性は見込めても事業にリスクがあるため、銀行などの間接金融が得られないベンチャービジネスに投資することを主な目的とする。ベンチャーキャピタルの中心となる収益源は、投資先企業の株式公開によるキャピタルゲインである。資金調達方法や事務所賃貸などでベンチャー企業をノウハウや物理面から支えるのが「インキュベーター」と呼ばれる組織や団体である。

▶無形資産

物的なかたちがなく、目に見えない資産。有形の資産と同様、経済的な価値があり、

イノベーションの源泉にもなる。たとえば、ソフトウェア、データベースなどの情報化資産、特許権、著作権、商標などの知的財産権、ブランド資産、人的資本などがある。人的資本は、人が持つ、能力、技能、知識を資本としてとらえる考え方である。無形資産は、競争優位の獲得、生産性向上などに重要と考えられ、また ISO30414（人的資本に関する情報開示のガイドライン）が策定されるなど、注目されている。

▶リスクマネジメント（risk management）

危機管理。経営活動につきまとうリスクを最小限に抑えて、事業活動をできるだけ損失から守ろうとするもの。

▶量子コンピュータ

原子や電子・中性子・陽子などの量子に適用される量子力学を応用して高速処理を行う次世代のコンピュータ技術のこと。量子コンピュータは、量子の「重ね合わせ状態」（0でも1でもある状態）を利用して、0と1の組み合わせだけで計算する従来のコンピュータより多くの情報をまとめて計算できる。膨大な計算量が必要とされる、複雑な AI やビッグデータ解析に使用され、新薬や新素材の開発、交通渋滞解消、金融市場予測などに役立つと期待されている。

▶労働者派遣法

労働者派遣事業の適正な運営の確保と派遣労働者の雇用の安定・福祉の増進を目的とする法律。2012年10月改正で派遣労

働者の保護が明記されて以降、派遣労働者の権利を守る改正が行われてきた。2015年9月の改正では、労働者派遣事業の許可制への一本化、派遣制限期間の見直し、労働契約申込みみなし制度（派遣先が違法派遣を受けた場合、派遣先が派遣労働者に直接雇用を申込んだとする制度）などが施行され、2020年4月からは、派遣労働者にも同一労働同一賃金が義務化された。

▶ 65歳定年制度

急速な高齢化に対応し、高年齢者が年金受給開始年齢までは意欲と能力に応じて働き続けられる環境を整備する必要がある。そのため、2004年に「高年齢者等の雇用の安定等に関する法律（高齢者雇用安定法）」が改正され、企業には2025年までに希望する全従業員を65歳まで雇用することが求められ、①定年の引き上げ、②継続雇用制度の導入、③定年の定めの廃止のいずれかの措置を義務付けている。

▶ AI（Artificial Intelligence）

人工知能とよばれる、人間が行う知的な作業をコンピュータが行うためのソフトウェアやシステムのこと。音声認識、画像認識、自動運転、投資のアドバイスなどさまざまな分野に応用されている。従来は、人間の知識や判断を模倣させるシステムが中心であった。今は、コンピュータが自ら学習し、人間を超える高度な判断を行える人工知能の研究開発が進められており、その方式が「機械学習」や「ディープラーニング（深層学習）」である。前者は人間が手がかりをコンピュータに指示するが、後者はコンピュータが自分で手がかりを探し出すため、人間を超える判断ができると期待されている。

▶ AR / VR / MR

ARはAugmented Realityの略で、拡張現実と訳され、現実の映像にデータなど仮想の情報を重ね合わせて表示する仕組みのこと。たとえば、スマートフォンのカメラを商品にかざすと、商品の映像に商品説明が出てくるような仕組みがある。VRはVirtual Realityの略で、視聴者の動きに合わせて、仮想の世界の映像を視聴者に見せて、視聴者が仮想の世界にいるように感じさせること。たとえば、装着できる小型ディスプレイなどの映像装置を用いたものがある。MRはMixed Realityの略で、複合現実と訳され、現実の空間に仮想の世界の映像を重ね合わせること。たとえば3Dのホログラムを表示することで複数の人間と仮想の情報を共有できる。

▶ BCP（Business Continuity Plan）

事業継続計画。会社が自然災害、大火災、テロ攻撃などの緊急事態に遭遇した場合に、事業資産の損害を最小限にとどめつつ、中核となる事業の継続あるいは早期復旧を可能とするための計画。計画では、平常時に行うべき活動や緊急時における事業継続のための方法・手段などを取り決めておく。

▶ CSR（Corporate Social Responsibility）

企業の社会的責任。企業の周囲にはさまざまな利害関係者（ステークホルダー）が存

在し、期待される社会的責任は時代とともに変化している。近年は消費者だけでなく、近隣住民や地域社会、従業員に与える影響も考慮して、企業の情報開示、メセナ活動などの社会貢献、雇用の確保・創出など多岐にわたり責任を果たす必要が増している。

▶ **DEI**

ダイバーシティ（Diversity）、エクイティ（Equity）、インクルージョン（Inclusion）の頭文字を取った略称で、企業経営において、従業員の多様性を尊重し、公平性を確保した包括的な環境を作ることを目指す考え方。イノベーションの創出、人材獲得・定着の強化、企業価値の向上などのメリットがある。注目される背景には、グローバル化、価値観の多様化、人手不足などがある。

▶ **DX（デジタルトランスフォーメーション）**

データとデジタル技術を活用して、製品やサービス、ビジネスモデル、業務プロセスなどを変革すること。企業が厳しい環境で競争優位を確立する手段であり、政府も推進を後押ししている。

▶ **ESG 投資**

ESG とは Environment（環境）、Social（社会）、Governance（企業統治）の略で、環境保護、従業員や仕入先の人権、法令遵守などに配慮した企業活動を重視した投資手法である。たとえば、ESG に熱心な企業に投資し、環境を破壊したり従業員を酷使したりするような企業から投資を引き上げる。ESG を重視する経営が企業の持続的な成長につながるとの発想に基づいている。

▶ **EU（European Union）**

欧州連合。1993 年 11 月に、欧州の経済面だけでなく政治面での統合を意図し、欧州共同体（EC）から発展して設立された。2020 年 1 月 31 日、英国が離脱し、現在は 27 か国が加盟。域内では、人や物、資本の移動が自由な共通市場と単一通貨「ユーロ」を持つ。人口は 4 億 4,673 万人（2022 年）、GDP 合計は 16 兆 6,426 億ドル（2022 年）である。

▶ **FTA（Free Trade Agreement）& EPA（Economic Partnership Agreement）**

FTA（自由貿易協定）は、特定の国や地域間で、互いにモノの関税やサービス貿易の障壁などを撤廃する協定である。EPA（経済連携協定）は、貿易の自由化に加え，投資や知的財産の保護などさまざまな分野での協力の要素等を含む、幅広い経済関係の強化を目的とする協定である。2002年シンガポールとの FTA 締結以来、最近では、日 EU・EPA（2019 年 2 月発効）、日米貿易協定（2020 年 1 月発効）、日英 EPA（2021 年 1 月発効）まで 20の FTA・EPA が発効済みで、さらに「地域的な包括的経済連携（RCEP）協定」が2020 年 11 月に署名されている。

▶ **GDPR（General Data Protection Regulation）**

一般データ保護規則。EU が定めた個人情報の保護を目的とした規則のこと。2018年 5 月 25 日に施行され、欧州経済領域で取得した個人情報の処理方法と域外への移転の原則禁止などが定められている。域

内の拠点を持つすべての企業や団体が対象で、多くの日本企業も対応に迫られた。

▶ IAEA（International Atomic Energy Agency）

国際原子力機関。国際連合傘下の自治機関。原子力の平和利用を促進し、軍事転用されないための保障措置を主な活動とする国際機関である。2005年、当時の事務局長モハメド・エルバラダイ事務局長とともにノーベル平和賞を受賞した。2023年1月時点で、加盟国は176か国となっている。

▶ IMF（International Monetary Fund）

国際通貨基金。国際通貨体制の安定化を図るために設立された国際連合の専門機関。加盟国は190か国にのぼる（2024年9月時点）。

▶ IoT（Internet of Things）

従来のパソコンやスマートフォンなどの情報・通信機器だけでなく、世の中のあらゆるモノがインターネットにつながり、相互に通信して遠隔地でも自動的に計測・認識・制御を行うこと。機械どうしがネットワークを介してつながるM2M（Machine to Machine）を拡大した考え方。最近では、テレビなど家電製品・工作機械・自動車・住宅などに適用されており、今後、生活の利便性を向上させると期待される。

▶ ISO（International Organization for Standardization）

国際標準化機構。1947年に設立され、工業・農業製品の規格の国際標準化を目的

とする。ISO9000は品質管理および品質保証の国際規格で、2000年に改定され、顧客第一の組織など8つの品質マネジメント原則を取り入れた。ISO14000は環境管理システムと環境監査に関する国際規格。2005年9月には、食品安全を目的とした初めての規格ISO22000、同年10月には、情報の機密を守り、安全確実に利用できる情報セキュリティの仕組みを規定したISO/IEC27001、2011年6月に、エネルギーマネジメントシステムの規格ISO50001が発行された。

▶ KPI（Key Performance Indicator）/ KGI（Key Goal Indicator）

KGIは戦略の最終的な達成度を評価する指標。別称は重要目標達成指標。KPIは、KGIを達成するためのプロセスの達成度を評価するための指標。別称は重要業績評価指標。例えば、「売上を1.5倍にするために客数を1.3倍、客単価を1.2倍にする」という目標では、KGIは売上で、目標が売上額1.5倍、KPIは客数と客単価で、目標は客数1.3倍と客単価1.2倍である。

▶ LTV（顧客生涯価値）

Life Time Valueの略で、ある顧客が自社の利用を開始してから終了するまでの期間にもたらす利益の指標。新規顧客獲得には既存顧客維持の5倍のコストかかり（1：5の法則）、顧客離れを5％改善すれば利益率が25％改善する（5：25の法則）といわれている。また、サブスクリプションへの需要や人口減少による市場の縮小などにより、長期にわたり利益をもたらす顧

客の重要性が増していることからLTVは重要な指標となっている。

▶ **NGO（Non-Governmental Organization）/ NPO（Non-Profit Organization）**

NGO は、民間人や民間団体のつくる非政府組織。軍縮、飢餓救済、開発援助、人権・環境保護などさまざまな分野のものがある。NPO は、民間の非営利組織。1998 年に特定非営利活動促進法（NPO 法）が施行され、NPO も法人格としての権利を取得した。これにより、さまざまな手続きが法人として行えるようになり、福祉の増進、社会教育、文化スポーツの振興などを行う組織には、国が助言・援助などを行う。

▶ **ODA（Official Development Assistance）**

政府開発援助。発展途上国の農地開発・医療・家族計画などの基礎生活や人づくりを目的に、先進国の政府機関が行う。

▶ **PL（Product Liability）**

製造物責任。生産・販売した製品に欠陥があった場合に企業が負う無過失責任のこと。日本では 1994 年に製造物責任法が成立。

▶ **SaaS（Software as a Service）**

インターネットを介して、サーバー上のソフトウェアを利用できる仕組み。クラウドコンピューティングの一形態。利用者がシステムを購入して構築する必要がなく、初期費用を抑えて、高度なサービスを利用できる。グループウェア、ビジネスチャット、会計ソフトなどで普及が進んでいる。

▶ **UX**

UX とは User Experience の略で、ユーザーが商品やサービスを通じて得られる体験のこと。似た言葉の UI は User Interface の略で、スマホアプリの画面デザインなどが UI の例となる。UX は UI の他、商品やサービスの質、ブランドイメージやアフターサービスなども含めたサービス体験の全体を表す。優れた UX を提供するには、使用体験も考慮した商品、サービス開発が重要である。

▶ **WTO（World Trade Organization）**

世界貿易機関。自由貿易の促進を目的に、1995 年に創設された国際機関。164 の国と地域が加盟（2016 年 7 月以来）。

▶ **Z 世代**

一般的に 1990 年代後半から 2010 年代前半に生まれた世代のことを指す。Z 世代は、急速にインターネットが普及し、スマートフォンや SNS の利用が一般化した時代に育った。Z 世代は、SNS での情報収集やコミュニケーションが日常的で、またオンラインゲームの利用者も多い。このため SNS の情報に敏感、タイムパフォーマンス重視の傾向や、浪費はせず価値を認めたものを購買する傾向がある。また、SDGs などにも影響を受けており、環境、多様性、平等、社会問題などに敏感である。

索引

㋐

あいさつ……………………………… 36

アクティブリスニング……………… 40

育児・介護休業法……………… 121

異常値……………………………… 103

一般社員………………………… 26

イベント………………………… 109

依頼の言葉……………………… 38

インサイダー取引…………… 152

インターネット……………… 104

インボイス制度……………… 152

引例法…………………………… 45

売上……………… 22,110,112

営業利益……………………… 113

円高……………………… 129,130

おわびの言葉………………… 38

㋕

会議……………… 56,57,58,59,60,61

会議の５Ｗ２Ｈ ……………… 59

外国人労働者……………… 152

会社法…………………… 114,116

改善意識……………………… 30

確定申告…………………… 125

可処分所得………………… 152

仮説…………………………… 99

割賦販売法………………… 115

為替レート………………… 131

環境法……………………… 115

間接指導…………………… 67

環太平洋パートナーシップ協定……… 152

ガント・チャート………… 88

企画書……………………… 94

企業物価指数……………… 152

議事録……………………… 90

キャリア形成 ……………… 18,20

休暇………………………… 121

休日………………………… 121

協調意識…………………… 30

金融商品取引法…………… 115

クイックレスポンス……… 69

クッション言葉…………… 39

クラウドコンピューティング……… 153

クラウドファンディング……… 153

グリーン購入……………… 153

クレーム…………………… 50

クレームの再発防止……… 54

グローバル化……… 16,17,76

クロス分析………………… 143

経営管理者………………… 26

経営戦略………………… 24,142

経営理念………………… 24,142

計画…………………… 84,86

景気動向指数……………… 153

経済協力開発機構………… 153

経済のグローバル化……… 130

経常利益…………………… 113

傾聴……………… 42,51,57

経費………………………… 113

原価………………………… 113

現金取引…………………… 126

健康保険…………………… 123

顕在クレーム……………… 53

検索エンジン……………… 105

コア・コンピタンス……… 153

講演会……………………… 109

効果的な商談……………… 44

広告………………………… 109

公正取引委員会…………… 153

公的年金…………………………… 122
行動基準……………………………… 64
後輩指導……………………………… 67
広報誌……………………………… 109
小切手……………………………… 127
小切手法…………………………… 115
顧客意識……………………………… 30
国際課税…………………………… 154
国際収支…………………………… 154
国税………………………………… 124
個人情報保護法…………………… 117
個人目標……………………………… 84
コスト意識…………………………… 30
断りの言葉…………………………… 39
コミュニケーション能力…………… 20
雇用契約…………………………… 119
雇用保険…………………………… 123
コンサルティングセールス………… 44
コンピュータ………………………… 78
コンプライアンス…………………… 32
コーポレートガバナンス………… 154

サ

再生医療…………………………… 154
再生可能エネルギー……………… 154
サービス経済化……………………… 76
ジェンダーギャップ……………… 154
司会者…………………………… 58,59
時間意識………………………… 30,82
事業継承…………………………… 154
自社 Web サイト…………………… 105
自動運転技術……………………… 155
質問技術………………………… 40,41
質問法………………………………… 45
社会的責任……………………… 23,76
社外取締役…………………………… 25
社会保険…………………………… 122
社会保障制度……………………… 122
社内データベース…………………… 79
就業規則…………………………… 118
住民税……………………………… 125
守秘義務………………………… 33,80
循環型社会………………………… 155
紹介………………………………… 36
生涯顧客……………………………… 47
商業登記法………………………… 114
消費者契約法…………………… 115,155
商法……………………… 114,115,116
情報収集…………………………… 104
情報セキュリティ………………… 80,81
情報漏えい…………………………… 80
食糧危機…………………………… 155
所得控除…………………………… 124
所得税……………………………… 124
ジョブ型雇用／メンバーシップ型雇用… 155
資料館……………………………… 108
新型コロナウイルス感染症………… 128
新規顧客……………………………… 47
新聞記事…………………………… 106
人脈…………………………… 68,109
人脈づくり…………………………… 69
信用取引…………………………… 126
信頼関係……………………………… 45
スケジュール化…………………… 88,89
スタッフ……………………………… 25
スタンドプレー……………………… 63
スマートシティ（スマートコミュニティ）… 155
生成AI……………………………… 156
製造物責任法…………………… 115,117
セミナー…………………………… 109
潜在クレーム………………………… 53
全体目標……………………………… 84

タ

大規模小売店舗立地法	115
ダイバーシティ	17
タウン誌	109
多義質問	41
脱炭素社会	156
男女雇用機会均等法	119
段取り	86
地政学的リスク	156
知的財産権	105,115
地方税	124
中間管理者	26
直接指導	67
著作権法改正	156
チームワーク	62,63,64
追跡質問	41
ツール	88
手形	127
手形法	115
デジタル証券	156
電子署名法	115
電子帳簿保存法	156
データ	96,97,98,99,100,101
データサイエンス	97
データ分析	102
同一労働同一賃金	157
動機づけ	65
統計	96,97,98,99,100,101
投入資源	87
導入話法	36
得意客	47
独占禁止法	115,157
特定商取引法	115
図書館	108
トレーサビリティ	157

ナ

二者択一質問	41
日銀短観	157
ニュース	107
ネットワーク	68
ネットワーク図	89
年末調整	125
納期意識	30

ハ

バイオマス	157
排他的経済水域	157
バブル経済	128,129
ハラスメント	33
パリ協定	158
パワハラ防止法	158
パートタイム・有期雇用労働法	119
ビジネス会話	34
ビッグデータ	97
品質意識	30
フィンテック	158
不正競争防止法	115,158
不正ソフトウェア	81
復興特別税	124
部門目標	84
プライム市場	159
プラスチック資源循環促進法	158
フリーランス保護新法	158
プレゼンテーション	60,61
ブロックチェーン	159
ベンチャーキャピタル	159
報告書	92
法人	23
法律知識	114

マ

マネジメント……………………………… 82

見込客……………………………………… 47

民法　　　　　　　 114,115,116

無形資産………………………………… 159

名刺交換………………………………… 36

メンバー／メンバーシップ………… 64,65

目標意識………………………………… 30

目標期限／目標項目／目標水準……… 85

ヤ

優先順位………………………………… 86

誘導質問………………………………… 41

ユニバーサルサービス………………… 43

ラ

ライン…………………………………… 25

利益…………………………………… 110,112

リスキリング…………………………… 20

リスクマネジメント…………………… 159

リストラクチャリング………………… 76

リピーター……………………………… 47

量子コンピューター…………………… 159

リーダー／リーダーシップ…………… 64

労災保険……………………………… 122、123

労働関係調整法………………………… 115

労働基準法……………… 115,118,120

労働協約………………………………… 119

労働組合法……………………………… 115

労働時間………………………………… 120

労働者派遣法…………………………… 160

ワ

ワークライフバランス………………… 120

英数

５W２H ………………………………… 57

65 歳定年制度………………………… 160

8つの意識……………………………… 30

AI ……………………………………… 160

AR ／ VR ／ MR ……………………… 160

BCP …………………………………… 160

CSR …………………………………… 161

DEI …………………………………… 161

DM …………………………………… 109

DX ……………………………………… 161

ESG 投資 ……………………………… 161

EU ……………………………………… 161

FTA …………………………………… 161

GDPR ………………………………… 161

IAEA …………………………………… 162

IMF …………………………………… 162

IoT …………………………………… 162

ISO …………………………………… 162

KPI ／ KGI …………………………… 162

LTV …………………………………… 162

NGO ／ NPO ………………………… 163

ODA …………………………………… 163

PDCA サイクル ……………………… 82,83

PERT 図 ……………………………… 89

PL ……………………………………… 115,163

SaaS …………………………………… 163

SDGs …………………………………… 131

SWOT 分析 …………………………… 142

UX ……………………………………… 163

WTO …………………………………… 163

Z 世代…………………………………… 163

Yes － But 法 ………………………… 45

参考文献

専門教育シリーズ 11 『実務文書 I』中野現吾編著　　　　　　　　　　　アカデミー・ブックス

専門教育シリーズ 12 『ビジネス・コミュニケーション』大山正浩・神保康雄　共編

　　　　　　　　　　　　　　　　　　　　　　　　　　　　　　　アカデミー・ブックス

専門教育シリーズ 15 『実務文書 II』大山正浩・吉澤素夫　共編　　　　アカデミー・ブックス

専門教育シリーズ 16 『ビジネス・マナー』神保康雄・太田誠一　共編　　アカデミー・ブックス

『仕事の技術』日本実業出版社　編

『人を動かす』D・カーネギー　著　　　　　　　　　　　　　　　　　　　　　　創元社

『サービスの品質とは何か』畠山芳雄　著　　　　　　　　日本能率協会マネジメントセンター

『接客・接遇のための　ユニバーサルサービス基本テキスト』紀薫子　著　井上滋樹　協力

　　　　　　　　　　　　　　　　　　　　　　　　　　　日本能率協会マネジメントセンター

『実務入門　改訂版　よくわかるCSのすすめ方』武田哲男　著

　　　　　　　　　　　　　　　　　　　　　　　　　　　日本能率協会マネジメントセンター

『実務入門　よくわかる接客サービス』河野英俊　著　　　日本能率協会マネジメントセンター

『プロ営業マン』セールス・プロモーション・ビューロー　編著　　　　　　　　　中経出版

『報告書の書き方』安田賀計　著　　　　　　　　　　　　　　　　　　　　　　日経文庫

『ビジネス文書の基本がわかる本』日本電気総合経営研修所　編　　　　　　　　大和出版

『基礎からよくわかる政治・経済』田中浩・諫山正・中野広策　共著　　　　　　　旺文社

●監修者紹介●

一般財団法人　職業教育・キャリア教育財団

ビジネス能力検定（B検）および情報検定（J検）の試験実施団体。職業教育・キャリア教育の情報を広く社会に発信し、職業教育・キャリア教育に対する社会の理解を深めることにより、教育機関および学習者を支援するとともに職業教育・キャリア教育の普及啓発に努めている。具体的な事業としては9つあり、研究事業、研修事業、国際交流事業、検定事業、キャリア形成支援事業、評価事業、認証事業、保険事業、助成・補助事業を実施している。

2025年版　ビジネス能力検定ジョブパス2級公式テキスト

2024年12月30日　　　　初版第1刷発行

監修者——一般財団法人 職業教育・キャリア教育財団
　　　　　© 2024　Association for Technical and Career Education
発行者——張　　士洛
発行所——日本能率協会マネジメントセンター
〒103-6009　東京都中央区日本橋 2-7-1　東京日本橋タワー
TEL　03(6362)4339（編集）／03(6362)4558（販売）
FAX　03(3272)8127（編集・販売）
https://www.jmam.co.jp/

装　丁————————岡村 佳織
カバーイラスト————村山 宇希（ぽるか）
本文イラスト————高田 真弓
本文DTP————————株式会社アプレ コミュニケーションズ
印刷所————————広研印刷株式会社
製本所————————ナショナル製本協同組合

ISBN978-4-8005-9280-4　C3034
落丁・乱丁はおとりかえします。
PRINTED IN JAPAN

ビジネス能力検定（B検）
ジョブパスの公式テキスト

唯一の公式テキストであり、試験対策用教材です。職業教育・キャリア教育の道しるべとしてご活用いただけます。

ビジネス能力検定ジョブパス 1 級公式試験問題集
一般財団法人　職業教育・キャリア教育財団　監修

B5 判　136 頁